GABRIELA

I Sarah

GABRIELA

John Roberts

Argraffiad cyntaf: 2013

Cynllun y clawr: Sion Ilar

Rhif Llyfr Rhyngwladol: 978 1 84771 698 9

Dymuna'r cyhoeddwyr gydnabod cymorth ariannol
Cyngor Llyfrau Cymru

Cyhoeddwyd ac argraffwyd yng Nghymru
ar bapur o goedwigoedd cynaladwy
gan Y Lolfa Cyf., Talybont, Ceredigion SY24 5HE
e-bost ylolfa@ylolfa.com
gwefan www.ylolfa.com
ffôn 01970 832 304
ffacs 01970 832 782

Rhan I

i. Cychwyn

Hen ddrws derw oedd o, wedi gweld cenedlaethau o bolish, ac roedd 'na ddwrn pres mawr sgleiniog yn meddiannu ei ganol a mymryn o wydr melyn yn ddiogel y tu ôl i ffrâm haearn drom uwchlaw hwnnw. Cydiodd Gabriela yn y dwrn oer a heb oedi dim, ei droi a gwthio'r drws yn agored.

"Entrez!" daeth llais dwfn, blinedig hen wraig yn galw o dywyllwch y tŷ.

"Entrez!" meddai'r llais, yn fwy diamynedd y tro hwn.

Camodd Gabriela i led-dywyllwch cyntedd hir, wedi'i gulhau gan ddodrefn trymion.

"Bonsoir," ymatebodd yn ei hychydig Ffrangeg.

"Bonsoir," meddai'r llais a glosiai ati o grombil y tŷ.

Goleuodd y lamp oedd yn hongian o'r to wrth i Madame Bremond gamu dani. Rhewodd Gabriela yn ei hunfan, a bron na chlywodd Madame Bremond ebychiad bach gan y deithwraig a safai ar riniog ei thŷ.

Ni fyddai'n syndod petai hon yn ei galw'n 'Mama'. Roedd ambell un o'i gwesteion unnos wedi'i chyfarch felly – yn enwedig y rhai ifanc. Nid ei bod yn eu cyfri'n blant iddi – teithwyr nerfus yn chwilio am lety ar ddechrau eu pererindod hir oeddent. Ond roedd ambell un angen eu trin fel plant. Prin oedd Ffrangeg hon, a phwy a ŵyr am ei Sbaeneg; mi fyddai hi wedi'i thwyllo gan y Sbaenwyr felltith 'na. Byddai'n rhaid ei rhybuddio hi am y daith a'r lladron twyllodrus, heb sôn am her diwrnod cyntaf y llwybr hir i Santiago. Roedd y sgidiau 'na fel newydd, a'r sach ar ei chefn prin wedi cael unrhyw ddefnydd. Mi gâi hon sioc a hanner.

Nid pryd a gwedd yr hen wraig oedd yn peri i Gabriela oedi'n fud wrth y drws. Roedd y gwallt brith wedi'i dynnu'n belen fach daclus ar ei chorun, ei llygaid llwydlas fel dwy gyllell a'i hwyneb yn rhychau byw, ond ei brat oedd yn mynnu sylw. Hen frat glas tywyll oedd o, wedi'i rwymo am ei chanol gan guddio'i gwisg bron yn gyfan gwbwl, ond dyma'r union fath o frat y byddai ei mam yn ei wisgo bob amser. Pan godai Gabriela yn y bore, roedd ei mam eisoes yn ei brat. Rhedeg adref o'r ysgol wedyn a gwasgu ei hwyneb yn dynn yn y brat, a hwnnw wedi'i lapio am fronnau meddal ei mam. Doedd wyneb hon ddim byd tebyg i'w mam, y rhychau dyfnion bron fel tonnau, a dau rych dwfn bob ochr i'w cheg – rhychau gwgu hir. Eto, roedd ei llais yn gynnes; alto ddofn oedd hon.

Caeodd Gabriela ei llygaid ac anadlu'n ddwfn. Ochneidiodd Madame Bremond wrth dybio fod y jolpan fach ar fin llewygu. Yn nhywyllwch ei llygaid caeedig ceisiodd Gabriela gofio beth oedd llety mewn Ffrangeg.

"Llety am y noson dach chi eisiau?"

"Os gwelwch yn dda..." atebodd Gabriela gan synnu at y diniweidrwydd plentynnaidd oedd yn ei llais.

"Tynnwch eich sgidiau 'ta," meddai Madame Bremond mewn llais ymosodol braidd, gan bwyntio'n egnïol at draed Gabriela ac at res o sgidiau cerdded a lechai dan fainc gul yng nghanol y cyntedd.

Curodd calon Gabriela fymryn yn gyflymach eto.

"Gabriela, tyn y sgidia 'na."

"Ond dydyn nhw ddim yn fudur, Mama!"

"Tasa ti wedi bod yn llnau drwy'r dydd, fasa ti ddim yn dweud hynna."

"Ond Mama, sbiwch..."

"Tyn dy sgidia – a tyrd trwodd i'r gegin i ddweud wrtha i be fuost ti'n wneud yn yr ysgol 'na..."

"O, Mama!"

"Ac adrodd dy weddi i Fair."

"Oes raid?"

"Mi wyt ti wedi cael dod adra'n saff ac mae te ar y bwr'... Diolch di i Fair, 'y mach i."

"Roedd Alfredo yn dweud na ddylan ni weddïo ar Fair."

"Ac ers pryd wyt ti'n gwrando ar Brotestant?"

"Dweud ydw i."

"Wel, rwyt ti wedi 'dweud', chwadal chditha, rŵan diolch i Fair," meddai, gan syllu'n gyhuddgar.

Penliniodd Gabriela gerbron yr eicon syml oedd wrth y drws, cyn ymgroesi a chusanu'r croesbren bychan oedd yn hongian islaw'r llun.

"A thyn dy sgidia budron!"

Tynnodd y sgidiau cerdded trymion oedd wedi gwasgu ei thraed ers oriau. Gosododd hwy dan y fainc ar ben y rhes o sgidiau eraill. Roedd tywyllwch y tŷ yn pwyso ar ei gwar rywsut.

"Dim ond un gwely sydd gen i ar ôl – mae'r byd a'i frawd yma heddiw," meddai Madame Bremond gan gychwyn dringo'r grisiau tywyll.

Oedodd Gabriela am eiliad gan edrych i fyny tuag ati.

"Wel, dowch... Heno, nid fory..."

Dilynodd y llais i fyny'r grisiau derw serth. Roedd tro anodd ynddynt, yn enwedig i bererin â phecyn dieithr ar ei chefn a dim ond sanau gwlân am ei thraed.

"Bydd yn rhaid rhannu'r stafell efo tri arall," meddai Madame Bremond gan ddal i ddringo. A hithau bellach wedi cyrraedd pen y grisiau, nid oedodd cyn cychwyn dringo set arall o risiau llawer iawn mwy serth.

Dilynodd Gabriela yn ufudd i ben uchaf y tŷ. Nid oedd ystafell fel y cyfryw yno, dim ond pedwar gwely wedi'u gwasgu i'r gofod ar ben y grisiau.

"Dyma chi, dim angen sach gysgu," meddai'r hen wraig â balchder.

"Diolch," meddai'r gwestai, gan dynnu'r sach enfawr oddi ar ei chefn a'i gollwng ar yr unig wely nad oedd offer arno.

"Rŵan, pryd dach chi am gychwyn bore fory?"

"Wn i ddim..."

Ochneidiodd Madame Bremond yn dawel. Doedd gan hon ddim clem, 'run fath â dwsinau oedd wedi cysgu yn y gwely bach 'ma o'i blaen. Pobl yn cychwyn ar ryw bererindod ramantus i ddinas nad oedd hi, Madame Bremond, am ei gweld byth. Ond dyna ni, roedden nhw'n rhoi ewro neu ddwy at ei chadw hi. Nid ei bod hi wedi cynllunio troi'n lletywraig i bererinion, ychwaith, er nad oedd arni hi a Pierre fawr o angen yr holl le oedd yn y tŷ. Cael ei hun yn agor y drws mewn dicter wnaeth hi. Roedd hi wedi byw gormod yn sŵn ebychiadau diamynedd ei mam.

"Pererinion felltith!" meddai honno bob dydd bron wrth gyrraedd 'nôl o'r siop fara. "Maen nhw dan draed ym mhobman. Be haru nhw 'dwch?"

A chan eu bod nhw drws nesaf i'r llety swyddogol, roedd digon o'r pererinion dan draed hefyd. Ar ŵyl Sant Iago y cafodd ei mam y strôc gyntaf. Roedd 'na eironi rhyfedd iddi gael ei thewi a'i pharlysu ar ddydd gŵyl yr hen sant y bu hi'n melltithio'i bererinion mor aml. Dyna ddechrau heddwch i Madame Bremond, wrth i'r edliw diddiwedd ddod i ben. Diolchai i Dduw am y strôc a wnaeth ei mam yn fud yn ogystal â disymud. Nid bod ei hedliw'n frwnt – nid tafod chwerw, ffyrnig oedd ganddi; anystyriol oedd hi, fel petai teimladau pobl eraill ddim yn bodoli. Ym mlynyddoedd cyntaf ei phriodas â Pierre roedd 'na elfen chwareus yn y cyfan.

"A pryd dach chi am lenwi'r hen dŷ 'ma 'ta, Anna?"

Ond wrth i'r blynyddoedd fynd heibio, daeth mwy o fin yn ei dweud. Doedd hi a Pierre yn ddim ond methiant truenus yng ngolwg ei mam.

"Tylwyth ni wedi planta'n hapus ers cenedlaethau – dach

chi'n codi cwilydd arna i. Fedrwch chi ddim 'be chi'n galw' yn iawn, heb sôn am ddim byd arall."

Daethai hynny i ben ar ŵyl fawr Iago Sant. Ni allai'r hen wraig wneud dim bellach ond syllu'n wag ar y wal o'i blaen, ac ambell dro deuai ebychiad aneglur, disynnwyr o'i chyfeiriad. Gydag amser daeth yr ebychiadau i olygu rhywbeth – un udiad fel ci er mwyn galw am y tŷ bach, yna cri yddfol am ddiod ac ochenaid anadlog i gael mynd yn ôl i'w gwely. Ond er ei bod yn ei deall, ni chymerai Anna sylw'n aml, dim ond gadael iddi. Yn wir, roedd rhyw bleser dialgar wrth adael iddi – mymryn o iawn am yr holl edliw a fu. Ond cymharol fyr fu'r cyfnod hwnnw a daeth dwy strôc arall i roi'r taw olaf ar ei mam.

Noson yr angladd y trodd Anna at Pierre a chyhoeddi ei bod am agor y tŷ cyfan i bererinion.

"Ond pam?" meddai Pierre yn syn.

"Pam ddim?" meddai hithau.

"Wel..." ildiodd Pierre.

Roedd y cyfan yn gwneud synnwyr iddi y foment honno: gan fod ei mam wedi mynd, dyma ei chyfle i wneud ei heithaf i fynd yn groes i bob dymuniad a fynegodd yr hen wraig erioed. Ni fyddai ganddi unrhyw etifedd, a byddai popeth a ystyriai ei mam yn felltith yn sanctaidd iddi hi. Ni fynegodd hynny wrth neb, wrth gwrs, ond dyma beth a'i gyrrodd i droi pob cornel o'r tŷ yn llety i bererinion.

"Ble 'dan ni am 'u rhoi nhw?" gofynnodd Pierre.

"Ddechreuwn ni efo stafell Mam," meddai hithau, ac er syndod i Pierre fe wasgwyd pedwar gwely i'r ystafell.

Dyn rhyfedd iawn oedd y gwestai cyntaf, Pwyliad oedd yn mynnu cael gwybod ei henw cyntaf, ond fe gafodd wybod yn gwbwl eglur nad oedd angen iddo wybod y ffasiwn beth ac mai Madame Bremond oedd ei henw hi. Dyma ddangos yr ystafell iddo a dweud y byddai swper am hanner awr wedi chwech y noson honno ac y byddai disgwyl iddo fod ar ei ffordd erbyn saith trannoeth. Nid oedd neb yn dadlau â hi, ac ni chafodd drafferth bellach â'r Pwyliad od, na neb arall. Dyna ddechrau'r lletya. Dros y blynyddoedd byddai Pierre yn llusgo gwlâu i'r tŷ o bob ocsiwn yn y dref, ac yn fuan iawn roedd ganddi bum ystafell i bererinion a phedwar gwely ar ben y grisiau uchaf, digon o le i ddau ddwsin. Ond dim ond lle i ddwsin oedd yna wrth fwrdd y gegin, felly pawb yn ei dro oedd hi yn y bore.

Ers marwolaeth Pierre doedd hi ddim wedi trafferthu cynnig swper – doedd dim arian yn y peth. P'run bynnag, roedd bwyty Silvio ganllath lawr y lôn; waeth iddyn nhw fynd i'r fan honno ddim, yn enwedig os oedd y tŷ'n llawn, fel y byddai drwy'r haf. Roedd o'n arian digon taclus, ac yn gymharol ddidrafferth. Roedd yn rhaid codi'n blygeiniol, wrth gwrs, ond doedd hi erioed wedi ystyried codi am chwech yn drafferth, a byddai'n gosod y ddeddf i'r gwesteion wrth iddyn nhw gyrraedd – roedd bywyd yn haws wedyn. Byddai ambell westai fel hon yn fwy o drafferth na'r cyffredin, yn ddiniwed fel plentyn bach, ac roedd angen eu gwarchod, eu cynghori, eu rhybuddio, ond roedd hi'n mwynhau hynny hefyd.

"Oes 'na gawod?" Chwalodd cwestiwn Gabriela ei meddyliau.

"Cawod, oes, oes... dowch."

Camodd yn ôl i lawr y grisiau serth o ben uchaf y tŷ.

"Gwyliwch y gris olaf, hen beth bach llechwrus ydi o," rhybuddiodd. Roedd hwn wedi baglu'r mwyaf heini cyn heddiw. Clywyd sawl clec a rheg wrth i bererin sanctaidd ddiawlio'i godwm.

"Diolch," atebodd Gabriela'n foel.

"Mae'r gawod a'r lle chwech fan hyn," meddai'r hen wraig a'i llais yn fwy bregus na chynt.

Dilynodd Gabriela hi i falconi bychan, ac yn y gornel bellaf roedd dau flwch pren digon aflêr yr olwg.

"A dim cawod ar ôl deg, nac yn y bore," meddai'r hen wraig

gan bwyntio at arwydd treuliedig ar y drws, “rhag amharu ar y pererinion eraill.”

“Popeth yn iawn.”

Roedd tafodau’r dref yn cyhoeddi’n ddiflino mai hi laddodd Pierre druan. Ond roedd hi wedi hen arfer anwybyddu straeon poblach ar y stryd – cenfigen ydoedd a dim arall. Fe wyddai hi fod croesawu’r pererinion wedi meddiannu Pierre yr haf poeth hwnnw. Erbyn hynny roedd o wedi dysgu ambell air mewn sawl iaith, ac roedd ’na hen sgwrsio o gwmpas y bwrdd brecwast neu ar y balconi bach. Roedd bywyd lond y tŷ, a sŵn chwerthin – gallai Pierre dynnu’r gorau o bawb. Yn gynnar ym mis Mai y cyhoeddodd ef fod yn rhaid cael cawod ar gyfer y pererinion, yn enwedig os oedd yr haf yn mynd i fod cyn boethed ag roedd pawb yn ei broffwydo. Doedd ganddi hi fawr o awydd.

“Does ’na ddim lle,” cwynodd.

“Oes siŵr,” meddai yntau heb oedi, “mi fydd pen pella’r balconi’n berffaith.”

Ar y balconi bach y byddai ei mam yn byw ac yn bod. Yno y byddai’n prepian gyda’i chyfeillion, yn hel clecs ac yn edliw’n uchel na châi hi fyth fod yn nain. Roedd halogi ei thir sanctaidd hi’n gynllun perffaith. Y cyfan a welodd tafodau’r dref oedd Pierre yn powlio’i feic i fyny o’r iard goed wrth yr orsaf, a choed wrth y dunnell wedi’u llwytho’n gelfydd arno. Roedd y chwys yn diferu’n nentydd bychain ar hyd ei wyneb a’i gefn. Ond nid oedd atal arno. Bu wrthi er gwaetha’r gwres llethol am wythnos neu ddwy. Doedd o fawr o saer nac o blymiwr, ac eto fe lwyddodd i gyflawni’r dasg: dau gaban pren syml a phibellau dŵr addas. Un felly oedd Pierre, yn gallu troi ei law at unrhyw beth. A phan safai Madame Bremond wrth ddrws y balconi yn dangos y ddau gaban pren i bererinion fe welai Pierre yno, y bensel blwm y tu ôl i’w glust, llif yn ei law ac oglau coed newydd eu llifio’n llenwi’r lle. Roedd hi’n cofio seremoni fawr agor tap y gawod am y tro cyntaf, a Pierre yn llond bol o chwerthin wrth gyhoeddi fod yn rhaid iddi hefyd fedyddio'r lle chwech yn swyddogol. Mis gafodd o wedyn cyn iddi ei gael o, gwên ar ei wyneb a brwsh yn dal yn ei law, ar ei hyd wrth y drws ffrynt. Trawiad meddai'r meddyg.

"Dach chi am i mi dalu rŵan 'ta yn y bore?"

"Rŵan," meddai hithau'n bendant, "deg ffranc."

"Ffranc?"

"Ewro! Damia'r pres newydd 'ma. Faint o'r gloch dach chi isio cychwyn?"

"Ddim yn siŵr iawn."

"Wel, pwy ŵyr os na wyddoch chi?"

"Wyth?"

"Wyth! A chitha isio cyrraedd Roncesvalles?"

"Ia, pam?"

"Nid ar chwarae bach y cyrhaeddwch chi dros y mynydd 'na."

"Fasa well i mi gychwyn am saith."

"Fan hwyra! Brecwast am hanner awr wedi chwech, dim byd ffansi: coffi cry, bara yn syth o'r popty a thipyn o jam. Cysgwch yn dawel, ac os dach chi'n mynd allan heno, 'nôl cyn un ar ddeg neu mi fydd y drws ar glo. Nos da."

A chydag ochenaid luddedig, diflannodd Madame Bremond i lawr y grisiau derw a llyncwyd hi gan dywyllwch crombil y tŷ. Penderfynodd Gabriela gael cawod sydyn cyn mynd i grwydro'r dref a chwilio am damaid i'w fwyta, ond gan ofalu ei bod yn dychwelyd mewn da bryd y noson honno.

Yn lled dywyllwch pen ucha'r grisiau dechreuodd agor ei phecyn, un y bu'n ei gynllunio a'i bacio'n ofalus cyn cychwyn. Gosododd ei dau fag ymolchi ar gadair wrth ochr y gwely cyn tyrchu'n ddwfn yn y sach am y tywel rhyfeddol a brynodd ar gyfer y daith. Os gwir yr hysbyseb, roedd y cerpyn bach ysgafn yma'n llyncu dŵr mewn dull gwyrthiol. Cododd y bag ymolchi streipiog amryliw a'i osod yn ofalus yn ôl yng ngheg y sach. Yna cydiodd yn ddidaro yn llinyn y bag ymolchi glas a'r cadach o dywel ac i lawr y grisiau â hi, yn ysgafndroed am y tro cyntaf y diwrnod hwnnw. Roedd popeth yn mynd yn dda, ac wedi cymryd gofal ar y gris isaf aeth i gyfeiriad y balconi. Neidiodd fymryn a chipiwyd ei hanadl wrth iddi gamu drwy'r drws a gweld gŵr canol oed yn ei grys isaf yn eistedd yn ddioglyd ar gadair bren yn smocio. Cyfarchiad cwta rhwng y ddau, a mentrodd Gabriela i'r blwch pren lle'r oedd y gawod. Tybed pwy oedd wedi cynllunio'r gawod ryfedd hon? Roedd popeth yn gam, a phrin digon o le i sefyll yno, heb sôn am le i allu dadwisgo a gosod ei dillad mewn lle sych. Tuchanodd ei ffordd allan o'i dillad, yn ymwybodol iawn bod yr ysmygwr canol oed yn eistedd ychydig droedfeddi oddi wrthi. Roedd hi wedi edrych ymlaen at gawod boeth a gadael i'r dŵr a'r sebon olchi lludded y daith oddi ar ei hysgwyddau, ac ni siomwyd hi gan y cwt pren cam. Yno, â'r dŵr cynnes yn llifo dros ei chorff noeth, roedd ei meddwl yn trefnu pob cam o'r daith o'i blaen.

"Rhaid i ti fynd, Gabriela!"

"Pam, i be? Dwi ddim yn grefyddol hyd yn oed."

"Rwyt ti'n fwy crefyddol nag y gwyddost ti. A rhaid i ti fynd er mwyn dilyn ôl fy nhroed i."

"I be?"

"I dalu dy ddyledion."

"Dyledion i bwy?"

"I Dduw..."

"Does arna i ddim dyled iddo fo."

"Cwilydd i ti feddwl y ffasiwn beth. Ac mae 'na ddyledion i bobl ar y ffordd..."

"Dydw i ddim yn nabod neb ar y ffordd."

"Mae 'na blethiad o bobl fu'n gefn i mi..."

"Ddeng mlynedd ar hugain yn ôl... Maen nhw wedi marw bellach."

"Dydyn nhw byth yn marw. Teulu Duw ydyn nhw, teulu pob pererin..."

"Dach chi'n siarad mewn damhegion, Mama."

"Dos, ar dy ben dy hun, dos fel ti dy hun, a bod yn chdi dy hun – dilyn dy reddfau dyfna, a bydd Mair yn dy dywys at ei Mab, a'th wneud yn rhan o blethiad mawr Duw."

Wrth sefyll dan y pistyll dŵr cynnes hwnnw, gwyddai Gabriela unwaith eto fod ganddi dasg i'w chyflawni, tasg na fyddai neb ond hi ei hun yn ei deall, a phan gamodd allan o'r gawod gyfyng yn gwisgo dim ond ei chadach o dywel, nid oedd golwg o'r hen begor trist na'i grys isaf. Anodd barnu p'run ai rhyddhad ynteu siomedigaeth oedd yn llygaid tywyll Gabriela pan sylweddolodd hynny. Gwibiodd i fyny'r grisiau i wisgo cyn cychwyn allan.

Roedd llety Madame Bremond ym mhen uchaf yr hen dref. Sleifiai'r stryd rhwng adeiladau tri llawr o ben yr allt at y porth canoloesol ar lan y nant, ei hwyneb o gerrig fel croen rhyw neidr lwydaidd. Pan ddaeth Gabriela at y porth yng ngwaelod y bryn, oedodd am eiliad.

"Mae'r eglwys wrth y porth, gofala alw yno."

Ac yn ufudd, fe ddilynodd ôl troed ei mam, a chamu o olau haul cynnes oedd yn nesu at fachlud i led dywyllwch yr eglwys ithfaen foel. Safodd ar y rhiniog am eiliad, a sylweddoli nad oedd ganddi fymryn o awydd camu i'r oerni gwag oedd o'i blaen. Felly trodd ar ei sawdl a dychwelyd i lewyrch yr haul. Roedd yn rheitiach peth iddi fwynhau'r gwres, meddyliodd wrth gamu allan o'r hen dref drwy'r porth. Oedodd am eiliad gan bwyso ar ganllaw'r bont a syllu ar y nant fechan a lifai islaw. Teimlai'r haul yn gynnes ar ei hwyneb, a gwyliodd y gwybed yn gwmwl bychan du uwchlaw mymryn o hesg wrth y bont. Daeth ton gynnes o fodlonrwydd dros ei chorff. Gallai fod wedi oedi ar y bont am oriau â gwên lydan ar ei hwyneb. Roedd popeth yn glir, popeth yn barod, popeth wedi'i brynu ac roedd hithau gorff ac enaid yn ysu am yfory. Ond heno, roedd yn rhaid wrth damaid i'w fwyta. Roedd wedi sylwi ar fwyty bychan o flaen yr eglwys a'r arwydd 'Croeso arbennig i bererinion' wrth y drws.

"Tyrd, bererin nefol," meddai'n uchel, gan droi oddi wrth y nant a dychwelyd drwy'r porth i chwilio am ei swper.

Ni thrafferthodd ragor â'r dref wedi iddi fwyta; roedd yfory yn ei disgwyl a'r dasg yn mynnu ei holl egni, felly dychwelodd i'w llety fel llygoden fach dawel am ddeg. Ni chlywodd ochenaid Madame Bremond wrth iddi godi o'i chadair er mwyn sicrhau fod y drws wedi'i gau'n iawn.

"Wnes i ddim cysgu 'run chwinc y noson gynta 'sti, roeddwn i'n un o chwech yn y stafell ffrynt 'ma. Doeddwn i rioed wedi rhannu stafell efo neb, a doeddwn i ddim yn siŵr a ddylwn i newid yn fy ngwely 'ta yn y stafell molchi. Roeddwn i'n bictiwr, dwi'n siŵr, wedi tynnu 'mreichiau i mewn i'm siwmper ac wrthi'n trio tynnu 'nillad isa heb i neb weld dim. Ond unwaith roeddwn i wedi setlo, dyma ddau o'r rhai oedd yn y stafell yn dechrau chwyrnu fel dau ddyrnwr. Mi orweddis ar fy nghefn yn y fan honno isio chwerthin, ond ag ofn y baswn i'n deffro rhywun. Dyna'r noson gynta, Gabriela. Ond mi oedd geiriau'r offeren yn canu yn fy nghlustiau. Chlywais i rioed yr offeren yn cael ei chanu fel y clywais hi yn Saint-Jean, a dwi ddim yn siŵr be oedd yn fy nghadw i'n effro y noson honno: y stafell ddieithr, y ddau chwyrnwr, cynnwrf y daith neu atgof o lais tenor yr offeiriad yn canu'r Kyrie..."

Fe gysgodd Gabriela fel twrch drwy'r nos, a chloc larwm un o'r gwesteion eraill a'i deffrodd hi a phawb arall am hanner awr wedi pump. Doedd hi ddim yn rhy hoff o'r bore, ac yn sicr petai perchennog y cloc wedi bod fymryn yn nes byddai wedi'i lindagu yn y fan a'r lle. Ond roedd pawb o'i chwmpas hi fel y gog, rhai'n gwisgo, rhai'n pacio, eraill yn hanner sleifio i lawr y grisiau fel petaen nhw ofn deffro rhywun. Gallai Gabriela fod wedi troi yn ei gwely cul a chuddio dan y dillad am awr neu ddwy arall, ond gyda disgyblaeth hunanfflangellol y pererin cododd hithau'n anfoddog.

"Y rosari, peth cynta wrth godi, Gabriela. Gad i Fair ddod atat ti ym munudau cynta'r dydd. Wnei di ddim difaru, dwi rioed wedi difaru..."

"Henffych Fair llawn gras... bendigedig wyt ti ymhlith gwragedd... bendigedig yw ffrwyth dy groth... Dweud rhyfedd ydi 'ffrwyth dy groth', y cwbwl ydi ffrwyth fy nghroth i ydi trafferth annymunol unwaith y mis. A sbiwch ar ffrwyth croth fy mam... Tybed fuodd croth Madame Bremond o werth rywdro? Henffych Fair llawn gras..."

Pan gyrhaeddodd Gabriela'r gegin dywyll doedd 'na 'run gadair wag wrth y bwrdd.

"Mi gewch chi le unwaith mae hwn wedi gorffen," meddai Madame Bremond yn sychlyd gan bwyntio at ŵr swil yr olwg a eisteddai ar y chwith i'r fan lle safai hi. "Fydd o ddim yn hir, mae o eisiau cychwyn am chwech, medda fo."

Gwenodd rhai o'r gwesteion eraill wrth iddi ddweud ei dweud, a gwenodd gwrthrych y sgwrs yntau, heb ddeall 'run gair a ddywedodd Madame Bremond amdano.

Doedd fawr o sgwrs wrth y bwrdd. Roedd Madame Bremond yn bresenoldeb a lywodraethai bopeth yn yr ystafell. Bob hyn a hyn byddai'n estyn pot coffi enfawr ac yn llenwi'r cwpanau tsieina bychain oedd wedi'u gosod o flaen pawb, yna gosodai'r potyn ar y stof y tu ôl iddi cyn mynd ati'n egnïol i dafellu torth arall ar gongl y bwrdd a llenwi basged neu ddwy â'r bara. Bwytai pawb yn fud, o ddyletswydd yn fwy nag o bleser. Ymunodd Gabriela â hwy pan gododd y gŵr dieithr oedd ar y chwith i

Madame Bremond, a bwytaodd ei gwala. Erbyn hyn roedd y mwyafrif yn codi pac ac yn cychwyn ar eu taith. Penderfynodd Gabriela na châi ei brysio, er bod yr hen wraig yn ysu am weld ei chefn. Cymerodd ei hamser dros ei choffi, myfyrio dros ei bara ac oedi'n hir wrth lyfnu'r menyn a'i orchuddio â jam. Nid oedd ocheneidiau aml ei lletywraig na'r "Mwy eto?" a gafodd ganddi pan ofynnodd am baned arall o goffi yn mennu dim ar Gabriela. Roedd hi'n dawel ei meddwl ac yn heddychlon ei hysbryd. Sychodd gornel ei cheg wrth godi o'r diwedd, yn gwybod bellach mai hi oedd y gwestai olaf.

"Mae fy mag yn dal yn y llofft," meddai. "Fydda i ddim dau funud."

"Mae'r daith yn hir, cofiwch. Rhaid i chi fod yn Roncesvalles yn gynnar neu chewch chi ddim llety."

"Diolch."

Dringodd y grisiau unwaith eto.

"Mae'r golau wedi chwythu," gwaeddodd o ganol y set uchaf o risiau.

"Dario," ebychodd Madame Bremond.

"Ydach chi am i mi newid y bwlb i chi?"

"Ia, gan bo chi'n cynnig. Mae gen i un fan hyn."

Dychwelodd Gabriela i nôl y bwlb newydd cyn dringo eto i ben uchaf y tŷ. Estynnodd gadair simsan a'i gosod o dan y golau. Dringodd ar y gadair a rhoi tro neu ddau yn yr hen fwlb i'w ryddhau. Sylwodd pa mor frau oedd y gwifrau trydan oedrannus oedd yn hongian o'r to wrth iddi osod y bwlb newydd yn ei le. Yna, gyda gofal mamol bron, rhedodd ei llaw ar hyd y wifren. Dychwelodd y gadair i'w chornel cyn codi ei sach a'i ffon a chychwyn i lawr y grisiau. Cymerodd un cip ar y bwlb a'r wifren uwchben, a gwenu, cyn gwibio i lawr tua'r cyntedd.

"Cofiwch yr hen ris bach llechwraidd 'na," meddai llais o gyffiniau'r gegin.

Bum munud yn ddiweddarach, heb na diolch na ffarwél

gwerth sôn amdano, roedd Gabriela'n camu'n hyderus ar hyd llwydni'r ffordd garreg i gyfeiriad Roncesvalles, a Madame Bremond yn tynnu ar sigarét fach dawel cyn meddwl ymosod ar y llestri budron.

ii. Tua Roncesvalles

Byddai Gabriela angen cinio, a chan nad oedd ganddi syniad a fyddai siop ar y llwybr penderfynodd mai'r peth gorau fyddai cael torth fach ac ychydig fanion cyn gadael Saint-Jean. Byddai'n well ganddi ddechrau ar ei hunion, fel ei bod yn dygymod â'r baich ar ei chefn. Ond roedd yn rhaid dadlwytho wrth ddrws y siop fach, ac yna gwneud lle i'r dorth a'r ffrwythau yng ngheg y sach.

Roedd dewis wedyn, un ai teithio dros y mynydd neu ddilyn y ffordd fawr, ond doedd dim dewis i Gabriela.

"Mae'r diwrnod cynta yn lladdfa, Gabriela bach. Dringo fyddi di am oria. Dilyn y ffordd fawr sydd orau i ti, mae o fymryn yn ysgafnach."

Ond methu deall beth oedd ei mam yn gwneud ffys yn ei gylch fu Gabriela am filltiroedd. Dilyn ffordd wledig yr oedd y llwybr i ddechrau, nid dilyn y ffordd fawr. Roedd y ffordd fechan, gul yma'n troelli gydag ymyl y dyffryn, yn dringo mymryn i gyfeiriad ambell i gwm, yna'n dychwelyd at y dolydd gwastad. Roedd arogleuon anghyfarwydd ffermydd bychain yn ei dychryn weithiau, yn enwedig un fferm foch, a'r caeau wedi'u tyrchu'n ffyrnig. Ond wrth i'r dolydd gulhau fe ddaeth yn amlwg fod y llwybr yn newid. Roedd hi bellach yn cerdded drwy'r glyn, a phentref bychan Valcarlos yn dal ei afael yn ochrau'r graig uwch ei ben. Doedd 'na 'run adyn hyd y pentref, dim ond strydoedd gwag ac ambell lori'n tuchan ei ffordd i fyny'r allt a cheir diamynedd wrth ei chynffon. Erbyn hyn roedd ei thraed yn boenus, y sach ar ei chefn yn drymach a'r haul yn ennill ei wres. Felly, pan welodd Gabriela gaffi mewn cilfach wrth ochr yr eglwys rhoddodd ochenaid o ryddhad. Tynnodd ei sach oddi ar ei chefn ac eistedd ger bwrdd bach wrth y drws.

Doedd yr hogyn yn y caffi mo'r mwyaf serchus – a dweud y gwir, byddai wedi ennill gwobr surbwch y flwyddyn ym meddwl Gabriela – ond roedd y sudd oren yn oer ac yn flasus. Eisteddodd dan gysgod y parasol Perrier yn syllu ar y pentref cysglyd. Dilynodd gamau pwyllog hen wraig mewn gwisg drom, ddu, â chi bach tebyg i lygoden fawr yn swatio dan ei chesail, wrth iddi ddringo'r stryd gul yr ochr draw i'r eglwys. Chwyrnellodd lori enfawr i lawr drwy'r pentref, cyn i dawelwch llethol feddiannu'r fro unwaith yn rhagor.

"Mae'r allt yn codi'n fwy a mwy serth, Gabriela bach. Roedd 'na chwech ohonon ni, ac mi oedd yr haul yn grasboeth. Dwi rioed wedi chwysu cymaint. Ond roeddwn i wedi clywed am y capel arbennig ar ben y bwlch, a meddwl am gamu mewn drwy'r drws oedd yn fy ngyrru ymlaen. Roedd fy nghorff i'n ysu am oerni braf ei gysgod, a'm henaid i'n hiraethu am fan gorffwys... Dyna beth oedd yn fy nghynnal ar hyd y daith."

Gorffennodd Gabriela ei diod a chodi'n benderfynol. Estynnodd y sach, ond wrth iddi ei gosod ar ei chefn teimlodd law ar ei hysgwydd ac oddi tan y sach. Rhoes sgrech fach a throi'n chwyrn. Neidiodd hogyn y caffi hefyd, gan mor ddig ei golwg.

"Dim ond eich helpu chi efo'r bag," meddai mewn dychryn.

"Dwi'n iawn... diolch," meddai hithau.

"Mae'n ddrwg gen i."

"Iawn."

"Oes gynnoch chi ddŵr?"

"Oes."

"Popeth yn iawn felly, mae o'n llwybr serth."

"Felly dwi'n clywed."

"Pererindod braf i chi."

"Diolch."

Brasgamodd Gabriela fel soldiwr allan o'r pentref, a'r hogyn yn syllu'n gegrwth ar ei hôl.

iii. 'Rochr draw i'r bwlch

Roedd drws yr abaty bob amser yn agored – dyna ran o'r drafferth. Galwad i lonyddwch ac i fyfyrdod a gweddi oedd galwad yr Abad Martin. Roedd rhywfaint o waith offeiriad, wrth gwrs, ond nid oedd erioed wedi dychmygu bod mewn abaty a hwnnw mor gyhoeddus. Gydag ochenaid, felly, y caeodd y gyfrol o'i flaen, codi oddi ar ei gadair o goed derw trwm a throi i gyfeiriad y drws am y pumed tro o fewn awr. Roedd sŵn ei sandalau ar y lloriau marmor yn atseinio ar hyd y coridorau hynafol – sŵn gwahanol i bob sŵn a geir mewn adeilad modern, sŵn hanes yn cyfarfod â heddiw, sŵn sandalau heddiw yn deffro atsain cenedlaethau. Chwarddodd ynddo'i hun. Roedd yn troi'n dipyn o ramantydd yn ei henaint, neu a ddylai gywiro'i hun a dweud ei ganol oed hwyr? Nid fel rhamantydd y daeth yn fynach, ond yn hytrach fel llanc gorfrwdfrydig. Gallai ei weddïau a'i fyfyrdod drawsnewid y byd; roedd yn parhau i gredu hynny, ond fod oedran wedi lleihau'r brys.

"Rydach chi'n cyfaddawdu."

"Y Brawd Martin, ydi o wedi taro eich meddwl nad chi ydi'r nofis cynta i ddweud y fath beth?"

"Efallai ddim, ond onid ydi hynny'n cryfhau fy nadl i, Abad, bod llygaid ifainc yn gweld yn fwy eglur?"

"Ond dim ond mewn un cyfeiriad y mae llygaid yr ifanc yn gweld, Frawd Martin. Mae'r craff yn gweld ddoe yn ogystal â heddiw ac yfory."

"Heb ffydd yn ein gweddïau, a heb ysfa i weld ateb i'n gweddi, ble bydd y taerni, ble yn wir y bydd pwrpas y cyfan? Ble byddai ein gonestrwydd ni?"

"Gonestrwydd?"

"Rydach chi'n mynnu 'mod i'n tewi, yn bod yn llai na gonest..."

"Digon yw digon, Frawd. Fel penyd am eich haerllugrwydd tuag at y Brodyr byddwch yn golchi traed y deugain pererin cyntaf a ddaw i'r eglwys heddiw."

"Ond Abad, gweddïo, ymbil, myfyrdod – dyna ein gwaith fan hyn, nid..."

"Os ydi'r gwaith a wnaeth ein Harglwydd yn ormod o dasg i chi, Frawd, fe wyddoch ble mae'r drws. Nofis ydach chi, rydach chi'n rhydd i adael."

Rhoes ei law fawr ar ddolen ddur oer y drws a chodi'r glicied nes bod y sŵn yn diasbedain rhwng y muriau. Rhoes blwc go galed i'r ddolen, ac yn araf agorodd y drws. Roedd y llaswyr yn ei llaw, a'r pecyn cerdded yn dal ar ei chefn. Roedd ei gwallt fel y frân, a'i llygaid yn anghysurus o siarp. Roeddent fel petaen nhw'n gweld i ddyfnder ei enaid. Arswydodd wrth feddwl. Gwenodd yn fwriadol iawn, gan obeithio torri ar fin yr edrychiad, ond ni symudodd ei llygaid.

"Pnawn da, fy merch i, a chroeso i Roncesvalles. Ydych chi wedi cerdded o Saint-Jean heddiw?"

Ni ddaeth ateb, dim ond yr edrychiad llym.

"Fedrwn ni eich helpu chi?"

"Mae'n ddrwg gen i," meddai hithau fel petai'n deffro o swyn. "Ie, o Saint-Jean, ond nid dros y mynydd."

"Doeth iawn. Cadw'ch egni ar gyfer gweddill y daith."

"Gabriela ydi'r enw, Gabriela Alves... o Frasil."

"Rydych chi wedi dod o bell..."

Pam roedd angen ystrydebau fel y rhain? Oni allai gŵr deallus, gweddïgar fel ef fod wedi meddwl am rywbeth ychydig mwy ystyrlon i'w ddweud?

"Rydw i'n chwilio am y Brawd Martin."

Sobrodd am eiliad. Pwy oedd hon, a hithau'n ei adnabod wrth ei enw? Doedd o ddim yn adnabod neb o Frasil, nac yn wir erioed wedi cyfarfod mynach nac offeiriad o'r wlad honno. Oedodd cyn ateb, ac aeth hithau yn ei blaen.

"Roedd y Brawd Martin yn fynach yma ddeng mlynedd ar hugain yn ôl – gŵr ifanc bryd hynny. Gobeithio roeddwn… gobeithio gormod efallai… ei fod yn parhau i fod yma yn yr abaty."

Ni wyddai Martin sut i ymateb. Roedd un rhan ohono'n ysu am groesawu'r ferch ddieithr yma i mewn i'r abaty, ond ar y llaw arall roedd ganddo ofn ei llygaid main a'r edrychiad llym.

"Does 'na ddim Brawd Martin yn Roncesvalles bellach…" clywodd ei hun yn cyhoeddi.

"Roeddwn i'n amau ei bod hi'n ormod disgwyl hynny. Na hidiwch…"

"Ond fi yw'r Abad Martin…"

Pam roedd yn rhaid iddo swnio mor hunandybus a phwysig, meddyliodd. Pam na fyddai o wedi dweud 'Fi ydi'r Brawd Martin. Pam dach chi isio gwybod? Be sy'n llechu tu ôl i'r llygaid duon 'na?'

"Chi yw'r Brawd Martin oedd yma ddeng mlynedd ar hugain yn ôl?"

"Ie, fi ydi o. Rŵan, ga i ofyn pam eich bod chi'n awyddus i siarad â mi? Doeddech chi ddim wedi'ch geni hyd yn oed bryd hynny."

"Mae'n ddrwg gen i, dylwn fod wedi egluro. Rydw i wedi byw yn eich cysgod ar hyd fy oes, ac mae pob offeiriad yn ein plwy ni wedi'i fesur wrth eich gweithredoedd chi."

"Bobl bach, dach chi wedi rhoi cyfrifoldeb go fawr i mi. Dowch i mewn… ym… Mae'n ddrwg gen i, beth oedd yr enw eto?"

"Gabriela… Na, ddim ar y foment… Ga i roi hon i chi?"

Estynnodd amlen i'r abad, a'i enw wedi'i ysgrifennu'n daclus arni. Cymerodd yntau'r amlen yn ei law, a chyffyrddodd eu dwylo. Tynnodd Gabriela ei llaw yn ôl ar amrantiad a fflachiodd ei llygaid.

"Rhaid i mi gael llety. Darllenwch y llythyr gan fy mam, a bydd popeth yn glir. Fe roes hi hwn i chi hefyd."

Estynnodd becyn bychan iddo, cyn troi ar ei sawdl a gadael yr abad cegrwth yn dal llythyr a phecyn bach mewn papur llwyd yn ei law.

Troes yntau wedi cau'r porth, a cherdded yn ôl yn bwyllog, â sŵn ei sandalau'n atsain ar hyd y coridorau moel unwaith eto. Aeth i'w gell, a gollwng ei gorff trymaidd i'r gadair dderw.

Annwyl Frawd Martin,

Go brin eich bod yn fy nghofio i. Aeth deng mlynedd ar hugain heibio ers y pnawn hwnnw y bu i ni gyfarfod, ond roedd o'n bnawn nad wyf wedi'i anghofio. Roeddwn wedi cerdded o Saint-Jean y diwrnod hwnnw mewn gwres llethol. Fe ddeuthum dros y bwlch yn hytrach na thros y mynydd, gan nad oeddwn yn tybio y gallwn wynebu'r llethrau serth. Ond wedi cyrraedd Roncesvalles fe ddeuthum ar fy union i'r eglwys yn yr abaty. Roeddwn am ddiolch i Fair am y nerth a roddodd i mi. Roedd oerni'r eglwys yn nefoedd. Ond fel y deuthum drwy'r drws mawr gorllewinol, daethoch ataf, yn eich gwisg nofis, a honno'n wlyb diferol.

"Croeso i Abaty Roncesvalles."

"Estela Alves, o Frasil."

"Mae'n dda gennym eich croesawu, a heddiw, yn unol ag esiampl ein Harglwydd, a gaf i olchi'ch traed lluddedig?"

Roeddwn yn fud. Roeddwn wedi darllen yr hanes cyn hynny, wrth gwrs, ond…

"Na, na, does dim angen."

"Wedi cerdded o Saint-Jean, mae angen… ac ar ben hynny rydw i angen golchi'ch traed."

"Rydach chi angen…?"

"Mae'n arwydd bach o 'ngalwedigaeth i fel mynach. Fe wnaeth Iesu ei hun yn was i'w ddisgyblion, eu gwasanaethu fel caethwas neu gaethferch fach, ac onid wrth ein parodrwydd i wasanaethu ein gilydd y mae mesur ein haddasrwydd i fod yn ddisgyblion i Grist? Nid drwy uchel swyddi ond drwy barodrwydd i fod yn was y mae mesur enaid dyn."

Ac wedi tywallt padellaid o ddŵr fe'm gosodwyd i eistedd yn sedd flaen yr eglwys, yna gyda thynerwch rhyfeddol fe dynnwyd fy sgidiau, a'r sanau trymion, ac fe anwesoch chi fy nwy droed â'r dŵr cynnes. Wyddwn i ddim beth i'w ddweud na beth i'w wneud. Eisteddais yn ôl a chau fy llygaid a chyda'ch dwylo meddal fe gymeroch chi amser i dylino fy nhraed yn ysgafn.

Nid oedd y ferch yma wedi arfer cerdded llawer, yn ôl cyflwr ei thraed. Roedd hi wedi cerdded rhyw ddeg cilomedr ar hugain, ac roedd tuedd i bothellu yn barod. Teimlai'r Brawd ychydig yn anghyfforddus, fel y gwnâi bob amser yng nghwmni merch ifanc. Cofiai ei brofiadau yn yr ysgol, pan oedd pawb arall yn dechrau ymhél â merched, sut y deuai rhyw ofn drosto nes ei fod yn groen gŵydd i gyd. Bron nad oedd atal dweud arno hefyd wrth iddo geisio siarad â nhw. A bellach, wedi iddo fod yn y mynachdy am beth amser, roedd yr arswyd a deimlai gynt fel petai'n ddwysach fyth.

Ni wyddai'n iawn sut i ddelio â mudandod y ferch ychwaith. Eisteddai yno â'i llygaid ynghau. Nid oedd neb arall yn yr eglwys. Anwesodd ei throed dde, a chaniatáu i'w fysedd grwydro'n araf dros bob rhan o'i throed. Teimlai fel petai trydan rhyfedd yn gyrru drwy ei gorff. Rhoes sylw arbennig i wadn y droed gan dylino'r sawdl a'r cyhyrau wrth fôn y bodiau. Nid oedd symudiad oddi wrthi; eisteddai fel petai mewn llesmair a'i llygaid ynghau. Teimlai'r Brawd yn fwyfwy anghyfforddus wrth i'w synhwyrau ddeffro. Credai ei fod, fel mynach da, wedi'u rheoli bellach, ond eto, anghyfforddusrwydd pleserus oedd hwn. Parhaodd i anwesu ei throed; wedi'r cyfan, dyma orchymyn yr abad iddo, golchi traed y deugain cyntaf a ddeuai i'r eglwys y diwrnod hwnnw. Hon, y ferch benddu, brydferth, oedd yr olaf ac roedd yn rhaid ufuddhau i'r abad. Cododd ei throed o'r dŵr a'i gosod ar dywel oedd dros ei lin a chyda'r un tynerwch sychodd y droed yn araf a phwyllog. Para'n fud a wnaeth y ferch wrth iddo olchi a sychu'r droed chwith hithau. Yna, er na allai esbonio pam, plygodd yn is, cymryd ei dwy droed yn ei ddwylo a'u cusanu'n ysgafn. Agorodd hithau ei llygaid a syllu arno.

"Diolch," meddai. "Nid oes unrhyw un wedi dangos caredigrwydd tebyg i mi erioed o'r blaen. O waelod calon, y Brawd...?"

"Martin."

"... y Brawd Martin, roeddwn i wedi dod ar y bererindod yma'n chwilio am dynerwch cariad Duw, yn holi a allai o garu rhywun fel fi, a heddiw rydych chi, drwy ddilyn eich Arglwydd, wedi profi hynny i mi."

"Y llef ddistaw fain," meddai'r Brawd Martin.

Ffŵl hunandybus, meddai wrtho'i hun yr un pryd. Pam na alli di fod yn onest a chydnabod fod y cyfan wedi bod bron iawn fel gweithred o hunanfodloni? Pam cuddio y tu ôl i ddarn o adnod?

Tynnodd ei ddwy law yn araf dros ei wyneb rhychlyd gan holi sut gallai cilfachau ei gof ddwyn yr un digwyddiad hwn yn ôl mor fyw. Syllodd ar y croesbren oedd ar fur ei gell, yn union o flaen ei lygaid. Cofiodd iddo'i osod yno i atgoffa'i hun o'i Arglwydd bob tro y codai ei ben o'i waith wrth y ddesg. Cododd y llythyr unwaith yn rhagor.

Chi oedd yr un roedd Duw wedi'i osod i'm cyfarfod yn Roncesvalles, rydw i'n argyhoeddedig o hynny. Roedd eich gweithred chi'n sacrament, tynerwch eich cyffyrddiad ac angerdd eich cariad yn brawf o gariad Crist tuag ataf. Ni fyddwn wedi cwblhau'r bererindod hebddoch chi, a chi yn anad neb arall a siapiodd fy mywyd ysbrydol. Oherwydd hynny mae Gabriela, fy merch, yn awr ar ei phererindod hithau. Y mae arni angen sicrwydd o'r cariad a gwefr ffydd a gweddïaf y bydd hynny yn dod iddi hithau. Drwy eich gweithred ostyngedig dangoswyd i mi ostyngeiddrwydd ein Harglwydd, a byddaf yn diolch i Fair amdanoch bob dydd.

Yn ddiolchgar,
Estela

Cododd yr abad ei lygaid a syllu ar y croesbren.

"Un rhyfedd wyt ti…" meddai'n uchel. "Rwyt ti ar un llaw yn ein pryfocio efo gwendid ein corff, ac yna yn ein syfrdanu efo dyfnder yr enaid."

Ac rwyt tithau fel llo, meddai wrtho'i hun, yn troi popeth yn ddatganiadau y byddai unrhyw ben bach diwinyddol yn falch ohonynt. Gallai ddeall apêl hunanfflangellu ar adegau fel rhain – byddai'n llesol petai dim ond er mwyn gosod traed rhywun ar y ddaear. Roedd yn ymateb eithafol efallai, ond creadur eithafol fu ef erioed. Onid ei eithafiaeth a ddaeth ag ef i'r mynachdy yn y lle cyntaf?

O.N. Fe gawsoch becyn bychan gan Gabriela. Bisgeden felys ydi hi, rhai y byddaf i'n eu coginio ar ddydd Iau Cablyd i ddathlu melyster tyner cariad y Crist a olchodd draed ei ddisgyblion. Byddaf yn darllen yr hanes ac yna'n bwyta'r fisgeden cyn offrymu gweddi i Fair. Gwnewch hynny er cof am y diwrnod hwnnw y bu i chi olchi fy nhraed.

Estynnodd yr abad ei Feibl a'i agor yn dawel, â'r pecyn bychan yn ei law. Wrth ddarllen, cydiodd yn y fisgeden fregus, a chyda'r un gofal ag y codai'r afrlladen sanctaidd yn yr offeren, cododd hi at ei wefusau llawnion. Gosododd hi'n gyflawn ar ei dafod, ond nid oedd dim a fwytaodd erioed o'r blaen wedi'i baratoi ar gyfer y profiad o fwyta'r fisgeden honno. Ffrwydrodd y melyster ar ei dafod a llanwodd ei geg â blas yr almon, y mêl a'r menyn. Caeodd ei lygaid a chaniatáu i bleser y foment olchi drosto fel ton enfawr. Diolchodd yn dawel am Estela a Gabriela, ac ymweliad y naill a'r llall â'r abaty yn Roncesvalles.

Roedd Gabriela bellach wedi croesi'r ffordd fawr gyferbyn â'r abaty at yr hyn a ddisgrifiodd ei mam fel hen ysgubor fawr. Dyma lle'r oedd llety'r pererinion. Ysgubor fawr oedd hi o hyd hefyd, dros gant o wlâu yn llenwi'r hen le a degau o bererinion bellach yn mynd drwy eu defodau dyddiol. Roedd y lle'n ferw gwyllt, pobl yn golchi sanau a thrôns, yn trin pothelli a thraed chwyddedig, yn trin sgidiau ac yn agor sachau cysgu o bob lliw a llun. Llifai ieithoedd gwahanol yn donnau dros glustiau Gabriela, yn Ffrangeg, Pwyleg, Sbaeneg, Saesneg, Eidaleg ac ieithoedd nad oedd modd eu hadnabod. Dewisodd y gwely uchaf mewn cornel gymharol dawel o'r ysgubor ac eistedd yno am sbel yn mwynhau syllu a gwrando ar y lliwiau gwych o'i chwmpas.

"O Saint-Jean heddiw?"

Llais gwrywaidd yn torri ar lif ei meddwl.

"Sori…?"

"Ydach chi wedi cerdded o Saint-Jean heddiw?"

"A thithau?" atebodd gan syllu i mewn i lygaid gleision llanc penfelyn a safai o flaen ei gwely.

"Do, dros y mynydd. Roedd y golygfeydd yn fendigedig, wyt ti ddim yn meddwl?"

Gwenodd Gabriela.

"Wel, roedd o'n werth y cwbwl," ychwanegodd y llanc i lenwi'r tawelwch. "Peter ydi'r enw. O'r Almaen."

"Pnawn da, Peter o'r Almaen."

Chwarddodd y llanc yn uchel, ychydig yn rhy uchel efallai, oherwydd wedi'r cyfan, coegni cynnil oedd yn ei llais.

"Gabriela o Frasil," meddai hithau, a'i llygaid tywyll yn chwarae ag o fel cath yn chwarae efo llygoden.

"Mi fydd y llygaid 'na'n mynd â chdi i drwbwl ryw ddiwrnod."

"Ond be dach chi'n feddwl, Mama?" A'r llygaid llo bach diniwed yn edrych i fyw llygaid ei mam.

"Mi wyddost yn iawn, y gnawes bach."

"Ond dim ond Roberto ydi o."

"Be ti'n feddwl 'dim ond Roberto'?"

"'Dan ni'n deall ein gilydd, 'dan ni'n ffrindia ers... ers pan oeddan ni'n ddim."

"O be welis i, doedd o ddim yn deall o gwbwl."

"A pham mae Gabriela o Frasil yn teithio i Santiago felly?"

"Pwy sy'n dweud fod Gabriela o Frasil yn teithio i Santiago?"

"Ond mae Gabriela mewn llety i bererinion sy'n teithio i Santiago."

"Ond ydi hynny yn golygu fod pawb yn teithio i Santiago?"

"Bobol bach, sori, rwyt ti'n un o'r rheini sydd wedi cerdded yno a rŵan ti'n cerdded yn ôl i Le Puy. O, mae hynna'n anhygoel! Faint o amser wyt ti wedi'i gymryd? Mae isio stamina fel ceffyl…"

"Ydw i'n edrych fatha ceffyl?"

"Sori, na, nid hynny oeddwn i'n feddwl, madda i mi. Dwi wedi clywed am bererinion fel ti, ond dwi wedi meddwl amdanyn nhw fel pobl arw, coesau fel bustach…"

"Ac yn drewi o chwys."

"Ia, ond rwyt ti wedyn yn…"

"Digon… Dwyt ti ddim wedi gweld 'y nghoesau i a dwyt ti ddim wedi dod yn ddigon agos i glywed yr ogla eto."

A chwarddodd y ddau yn harti.

"A beth am Peter o'r Almaen 'ta?"

"Mae Peter yn dod o Köln, ei dad wedi meddwl y dylai wneud offeiriad da, ac felly wedi'i enwi'n addas. Ei fam wedi meddwl y dylai aros yn ddeg oed ar hyd ei oes, ac felly wedi'i warchod rhag pob brad am ddeuddeng mlynedd arall. Ond unwaith y dihangodd ei chwaer fach, oedd yn fwy mentrus nag ef bob amser, fe ddihangodd Peter hefyd, a hyd yn hyn nid yw wedi cyfarfod 'run blaidd ar ei siwrnai. Mae'n parhau i fod yn fyfyriwr, ond yn cymryd arno ei fod yn gwneud ymchwil bellach, ymchwil i fywyd malwoden fechan nad yw Gabriela o Frasil angen gwybod dim amdani. Mae'n ymweld â Phrifysgol Hamburg bob hyn a hyn i gyfiawnhau'r disgrifiad ohono fel myfyriwr, ond ar hyn o bryd mae'n pererindota i Santiago er mwyn darganfod..."

"Esgyrn Iago?"

"Na, ddim yn credu... Er mwyn darganfod ystyr byw a bod, a phopeth arall."

"Camp go fawr."

"Ydi."

"Fysa hi ddim yn haws holi'r falwoden rwyt ti'n ei hastudio?"

"Mae fy nealltwriaeth o falwadoneg ychydig yn wantan."

"Trueni."

"Trueni mawr. A beth am Gabriela o Frasil?"

"Sori, mae fy malwadoneg i'n fwy diffygiol fyth."

"Siom eto felly. Ond pwy yw Gabriela o Frasil?"

"Fi."

"Ia, ond pwy ydi 'fi'?"

"Dyma fi. Pum troedfedd chwe modfedd a hanner – ac mae'r hanner yn bwysig, i ti gael deall. Gwallt du, dau lygad brown, dwy glust, trwyn bach smwt, gwefusau fy mam, bronnau... cymharol fychan, tin rhy fawr, dwy goes a dwy droed."

"Roeddwn i wedi gweld hynny…"

"Be, ydi 'nhin i mor fawr fel y medri di weld o o fan yna?"

Gwridodd Peter. "Na, nid hynny…"

"Wedi dy ddal di ddwywaith rŵan," gwenodd hi arno. "Rhaid i ti fod yn llawer iawn mwy siarp os wyt ti am chwarae'r gêm yna."

"Mae'n amlwg."

Troes Gabriela ei phen i un ochr, a chyda llygaid mawrion ychwanegodd, "Na, dydw i ddim ar y ffordd yn ôl i Le Puy, dwi ar y ffordd i Santiago, ond does wybod pa mor bell y cyrhaedda i."

"Mae angen mwy o benderfyniad na hynny."

"Efallai wir, ond mae'n dibynnu sut mae rhywun yn gweld pwrpas y daith. Roedd deg cilomedr ar hugain heddiw yn ddigon amdana i fel mae hi, felly does wybod be ddweda i ymhen wythnos go dda."

"Dyfalbarhad yn rhinwedd bwysig, Gabriela."

"Ydi, Mama," ochneidiodd.

"Dyna pam dwi'n chwarae efo'r cardiau 'ma," meddai ei mam gan osod cerdyn i bwyso ar gerdyn yn hynod ofalus. Byddai hi'n adeiladu tŵr o gardiau ar y bwrdd yn y gegin, ac wedi bod wrthi ers oriau, yn cyrraedd rhyw fan, yna byddai'r cyfan yn syrthio unwaith eto. Ond ni chlywid gair o gŵyn o enau ei mam; casglai'r cardiau unwaith eto, ac ailafael yn y dasg.

"Mae cariad yn hirymarhous ac yn dyfalbarhau, cofia. Gwaith y diafol ydi'r diamynedd brysiog."

Roedd ei dwylo'n crynu wrth iddi osod dau gerdyn arall i bwyso ar ei gilydd. Daliodd ei hanadl, y tŵr yn simsanu, ond ni syrthiodd.

"Dim ond dau gerdyn ar ôl, Mama."

"Diwedd y dasg yn ymyl, ond mae hynny'n golygu mwy o ofal…"

Sychodd ei dwylo yn ei brat, cyn codi'r ddau gerdyn.

"Ga i eu gosod nhw, Mama?"

"Dwi ddim yn meddwl, Gabriela."

"Ond..."

"Dwi wedi dweud."

"Sori."

Cymerodd anadl drom, cydio yn y ddau gerdyn, ei dwylo'n dal i grynu, ei cheg fymryn yn agored a blaen ei thafod i'w weld rhwng ei dannedd. Roedd Gabriela eisiau chwerthin wrth weld yr olwg ar ei hwyneb, a'i phen wedi'i ddal yn gam. Ond ni feiddiodd. A chyda chryn ymdrech, gosodwyd y ddau gerdyn olaf ar ben y tŵr.

"Ac amynedd a dyfalbarhad yn drech na'r cyfan, Gabriela," meddai â gwên foddhaus ar ei hwyneb.

Syllodd Gabriela ar y tŵr, ac ar wyneb disglair ei mam. Gwyliodd hi'n codi ac yn gadael yr ystafell. Yna, gan agor ei cheg fymryn a dangos blaen ei thafod rhwng ei dannedd, a chyda'r un gofal eithafol ag a ddangosodd ei mam, tynnodd Gabriela y cardiau fesul dau i lawr oddi ar y tŵr, gan eu gosod yn bentwr destlus ar ganol y bwrdd. Sychai ei dwylo yn ei ffrog cyn cydio ym mhob pâr o gardiau yn ei dro, ac wedi dymchwel y tŵr gerdyn wrth gerdyn syllodd ar y pentwr taclus o gardiau.

"Be wnawn ni efo'r tŵr...?" meddai ei mam wrth ddychwelyd i'r ystafell. Oedodd yng nghanol ei brawddeg wrth weld y cardiau'n bentwr taclus. Edrychodd yn llawn syndod ar Gabriela, a syllodd hithau yn ôl arni â'i llygaid tywyll yn pefrio. Oedodd y ddwy am beth amser. Yna, yn gwbwl ddigymell, chwarddodd Gabriela. Roedd ei mam yn fud, yna ymhen eiliad neu ddwy ymunodd yn y chwerthin. Chwarddodd y ddwy o waelod eu bod, a sŵn eu chwerthin yn canu drwy'r tŷ.

"Reit, dwi angen cawod."

"Oes ots gen ti 'mod i'n cysgu fan hyn?" Pwyntiodd Peter at y gwely oddi tani.

"Wyt ti'n chwyrnu?"

"Dim ond pan dwi'n cysgu."

“Cei siŵr, Peter o’r Almaen.”

Taflodd ei becyn ar y gwely, a thyrchodd Gabriela yn ei sach am ei bag ymolchi a’i thywel bach rhyfedd. Estynnodd y bag ymolchi glas, dillad isaf glân a chrys-t melyn cyn cau’r pecyn yn ofalus. Dringodd i lawr yr ysgol ar ben isa’r gwely. Gorweddai Peter ar ei wely yn ei gwylio.

“Dydi o ddim yn fawr.”

“Mae Peter o’r Almaen yn gallu bod yn ddigywilydd iawn.”

“Mae o’n gallu bod, weithiau.”

“Diolch,” meddai gan droi i gyfeiriad ystafell y gawod.

“Am be?”

“Am sylwi nad ydi o’n rhy fawr.” Taflodd y geiriau dros ei hysgwydd wrth ddiflannu drwy’r drws agored ar y ffordd i’r gawod.

Roedd hi’n tynnu at saith o’r gloch pan gamodd Gabriela o’r haul i gysgod yr abaty. Cerddodd drwy’r porth, heibio i’r swyddfa ar gyfer y pererinion lle’r oedd ei cherdyn pererin wedi’i stampio’n barchus ddiwedd y prynhawn, a mynd ar hyd y llwybr nes dod at borth yr eglwys.

“Paid â disgwyl eglwys fawr, eglwys lydan ydi hi yn hytrach nag eglwys hir fel ein heglwys ni. Mae’r colofnau crwn yn fawr, yn llenwi’r lle, ac mae’r allor yn meddiannu’r adeilad. Dos yn gynnar i’r cymun er mwyn i ti gael eistedd yn y canol yn hytrach nag ar yr estyll, er mwyn i ti gael gweld yr abad yn bendithio’r elfennau.”

Roedd yr eglwys yn wag heblaw am un gyffesgell. Roedd offeiriad yn honno, yn barod i baratoi pererinion ar gyfer yr offeren. Trodd Gabriela i’r chwith a cherdded yn bwrpasol at y gell. Oedodd am eiliad.

"Dangos i'r offeiriad dy fod yn meddwl be wyt ti'n ei wneud. Paid brysio i mewn i'r gyffesgell, gwna'r cyfan yn bwrpasol. Ymgroesa, ymbil yn dawel ar Fair am ei chymorth, wedyn penlinia yn y gyffesgell..."

"Dad, pechais..."

"Pa bechod, fy merch?"

"Dad! Nid wyf yn caru fy nghymydog fel mi fy hun, ac yr wyf yn pererindota mewn ysbryd cyfeiliornus."

"Cyfeiliornus, fy merch?"

"Nid yn ôl y cymhellion gorau."

"O ba gymhellion yr ydych yn pererindota felly? A pha gymhellion rhagorach yr ydych yn eu deisyf?"

"Rwy'n pererindota oherwydd mai dyna ddymuniad fy mam. Rwy'n dilyn ei llwybr hi, a hithau'n gobeithio y byddaf yn darganfod yr un ffydd ag y darganfu hi yma."

"Mae ufudd-dod i riant a dymuniad rhiant yn gymhelliad da, onid yw?"

"Ond nid yn gymhelliad personol."

"Nid cyflawni dymuniadau'r hunan sydd orau bob amser, fy merch. Daeth ein Harglwydd ni i gyflawni gofynion ei Dad nefol. Yng Ngethsemane mae'n gweddïo am i'r cwpan fynd heibio, dyna'i ddymuniad, ond meddai wedi hynny, 'Nid fy ewyllys i ond gwneler dy ewyllys Di.' Balchder sy'n mynnu ein bod yn cyflawni popeth o gymhelliad personol yn unig. Mae dymuniad eich mam yn un llesol ac mae ufudd-dod i'r dymuniad hwnnw yn llesol. Peidiwch â fflangellu eich hunan gydag euogrwydd nad oes ei angen."

"Nid euogrwydd sy'n fy mhoeni, ond rhaid i'r ffydd fod yn ffydd i mi, nid ffydd fy mam; rhaid i'm henaid innau gael ei fodloni."

"Oes, fy merch, ac fe ddaw hynny drwy ddilyn esiampl ein Harglwydd, aberthu'r hunan a byw, neu bererindota, i eraill.

Dechrau'r daith yw hyn, dim ond dechrau. Daw'r daith â'i goleuni ei hun."

"Neu ei thywyllwch."

"Peidiwch digalonni, fy merch, mae cariad eich mam yn gwmni i chi, cariad eich cyd-bererinion yn ffon i chi, cariad yr Eglwys yn dywysydd i chi a chariad Duw yn pefrio drwy'r cyfan. Rydych chi'n rhan o wead rhyfedd Duw, myfi, tydi ac efe ein byw. Yn awr, ewch mewn heddwch – mae eich pechod wedi'i faddau."

Ymgroesodd Gabriela unwaith eto. Ni fu mewn cyffesgell fel hon o'r blaen; nid oedd yr offeiriad gartref yn ei holi nac yn dadlau â hi. Ni fyddai hithau'n dadlau'n ôl ychwaith, ond roedd anwyldeb yn ymateb yr offeiriad, anwyldeb nad oedd wedi'i adnabod mewn cyffes cyn heddiw. Goleuodd gannwyll o flaen delw o Fair, gan weddïo dros enaid ei mam, deisyf ar i'r Forwyn ei chadw'n ddiogel beth bynnag a ddeuai yfory yn ofid neu'n fagl, a diolch i'r Forwyn am ei chadw'n ddiogel drwy'r dydd. Yna trodd yn sydyn a gadael yr eglwys.

Edrychodd yr abad ar ei oriawr. Roedd hi wedi saith ac roedd yn rhaid paratoi ar gyfer yr offeren. Ymgroesodd, tynnu'r llen oedd yn ei guddio yn ôl a chamu allan o'r gyffesgell. Cydiodd yn dynn yn ffrâm bren y gell am eiliad. Roedd ei ben yn troi. Rhaid ei fod wedi codi'n rhy sydyn. Roedd chwys oer ar ei dalcen. Arhosodd am eiliad, yn ysu am i'w lygaid allu gweld yn glir unwaith eto. Roedd yr eglwys gyfan mewn niwl llwyd. Caeodd ei lygaid a siglo'i ben o'r naill ochr i'r llall. Yna cilagorodd ei lygaid ac ochneidio wrth i bopeth ddod yn glir unwaith eto. Doedd o ddim wedi cael tro fel hwn ers blynyddoedd, pum mlynedd ar hugain efallai.

"Mae ympryd a disgyblaeth yn hanfodol i 'mywyd ysbrydol i."

"Nac ydi, os ydyw'n gwneud drwg i'ch iechyd, Frawd Martin."

"Doedd y bendro 'na'n ddim byd. Un munud bach yn benysgafn. Fe ddioddefodd ein Harglwydd y groes."

"Rydw i'n gyfrifol amdanoch chi, fi yw eich tad yn yr abaty yma, ac mae fy nghyfrifoldeb i gerbron Duw yn un na alla i ei gymryd yn ysgafn."

"Ond Abad, rydw i'n teimlo'n nes at Dduw yn fy ngwendid. Allwch chi ddim deall hynny? Pris bychan yw pendro am funud neu ddau. Mi fydda i'n ymprydio am ddeuddydd, efallai dri ar y tro, unwaith yr wythnos, dyna'r cyfan. Ac yn ystod fy ngweddïau ar y diwrnod cyn yr ympryd, mae 'nghalon i'n curo'n gyflymach, mae 'nghorff i'n ysu am y pangfeydd rheini o newyn yn fy stumog. Ac mae'r enaid yn ysu am ymryddhau rhywfaint ar batrwm ailadroddus byw yn y corff.

"Yna, pan ddaw'r dydd, mae'r llymaid o ddŵr oer o'r ffynnon fel mêl i mi. Mae o'n digoni. Mi alla i fynd o gylch fy nhasgau fel arfer drwy'r bore a 'nghalon i'n llon. Yna, pan fydd pawb wedi cilio i'r ffreutur a'r corff yn ysu am y defodau corfforol o fwyta ac yfed, pan fo natur yn mynnu'r cachu a'r piso – mae'n ddrwg gen i, Abad, ond geiriau plaen sydd orau – mae poen yr ympryd yn dechrau. Cnoi yn y stumog yw'r cyfan i ddechrau, lle gwag yn ysu am ei lenwi, mymryn o wynt yn y cylla, ond mae'r enaid yn ymryddhau. Mi fyddaf yn darllen yr Ysgrythur bryd hynny, ac mae'r geiriau fel bwyd i mi, yn faeth i'r enaid, ac rydw i'n llarpio'r geiriau, yn eu sugno fel plentyn yn sugno bron ei fam.

"Mae'r prynhawn cyntaf yn gwibio heibio. Yna, pan genir cloch y swper, erbyn hynny mae'r cnoi yn y cylla'n dwysáu, a'r corff yn crefu am unrhyw beth i'w fodloni. Daw Satan a'i demtasiynau i ganol fy ngweddïau. Mae'n gosod bord ger fy mron, a'r danteithion yn llifo dros yr ymylon, yn gigoedd wedi'u rhostio, yn ffrwythau a llysiau ar eu gorau, ac mae'n ceisio fy hudo i brydau bwyd a gwleddoedd a brofais gyda ffrindiau a theulu yn y gorffennol. 'Cyfod a bwyta!' meddai, ond mae fy enaid yn newynu am bethau gwell, a phan fo'r mynaich yn bwyta byddaf yn diosg fy ngwisg ac, yn noeth fel y'm ganed, rwy'n gorwedd ar lechi oer fy nghell o flaen y Crist. Mae oerni'r llechi'n dofi'r boen, a dyna pryd y teimlaf y Crist gwrthodedig, croeshoeliedig a fflangellwyd er fy mwyn, a ddioddefodd er fy mwyn, yn fy meddiannu a'm llenwi. Mae fel petai goleuni'n llenwi'r gell a'm dyrchafu allan o 'nghorff. Mae fy enaid yn llythrennol yn codi goruwch fy nghorff – bron na allaf edrych i lawr ar fy nghorpws gwan a thlawd – mae gwres tanbaid yn llifo drwy fy enaid, a gallaf weddïo a chyfarch fy Arglwydd gyda'r fath rwyddineb a rhyddid nes 'mod i'n cyffwrdd y nefoedd ei hun."

"Wna i ddim amau eich profiad, Frawd Martin, ond gaf i eich atgoffa chi i ni ddod ar eich traws yn anymwybodol o flaen yr allor fawr y bore 'ma am chwech o'r gloch? Am ba hyd y bu i chi orwedd yno, dyn a ŵyr."

"Rydw i'n achlysurol yn treulio noson olaf yr ympryd o flaen yr allor fawr, a dyna sut y cafwyd fi yno. Mae treulio oriau'r nos o flaen yr allor ar y llawr oer, y tywyllwch yn fud o'm cwmpas, gweddïau'r canrifoedd yn sibrwd ar bob awel, pob perlyn bach o oleuni drwy'r ffenestri lliw yn anadl saint y gorffennol sydd wedi canu'r Kyrie yn y lle yma, a'r Gloria yn sgubo heibio'm henaid... mae'r enaid trannoeth wedi'i adfywio ac nid yw'r pryd bwyd yn gallu cystadlu â'r wefr ddofn a'r godidowgrwydd o berthyn i Frodyr ddoe, ac i'r Tad a'r Mab a'r Ysbryd..."

"Heb fychanu'ch profiad, Frawd Martin, mae gen i ofn bod 'na berygl weithiau i gymysgu rhyfyg rhamantiaeth â phrofiad yr enaid."

"Gyda phob parch, Abad, dydi hynny ddim yn deg â mi, nac yn deg â phrofiadau'r saint ar hyd yr oesau."

"Hwyrach ddim... ond nid yw profiadau gwych yr enaid ychwaith yn bychanu gwaith Duw."

"Bychanu? Dwi ddim yn bychanu gwaith y Crëwr."

"Onid ydym ni'n parchu ein cyrff, dydyn ni ddim yn parchu gwaith Duw y Crëwr. Mae 'na duedd ynoch i fychanu cymaint ar y corff nes ei ddirmygu..."

"Ei ddisgyblu, Abad."

"Nid yw disgyblaeth yn eich gadael yn anymwybodol ar ddiwedd ympryd, Frawd Martin."

"Unwaith yn unig."

"Unwaith yn ormod."

"Ond sut mae rhywun i lywodraethu'r corff a'i nwydau os na fydd yn defnyddio disgyblaeth lem?"

"Nid drwy ddifa'r corff y mae bod yn rhydd o'i nwydau. Os rhywbeth, efallai eich bod yn miniogi'r nwydau drwy ddisgyblaeth rhy lem. Parchwch eich synhwyrau, parchwch eich corff ac anrhydeddu Duw yn y cyfan."

"Ond..."

"Digon, Frawd Martin. Rhan o ddisgyblaeth yw gwrando ar eich brodyr a hyd yn oed ar eich abad."

"Mae'n anodd, Abad."

"Pwy ddywedodd fod dilyn eich galwedigaeth a chadw'r llwon mynachaidd yn hawdd?"

Roedd ei ben yn dal i droi rhywfaint wrth iddo ddychwelyd i'w gell. Bu heddiw'n ddiwrnod rhyfedd. Nid oedd wedi cael mwynhau cwmni'r Brodyr yn ôl yr arfer am iddyn nhw i gyd fod yn y gerddi yn cynaeafu'r ffrwythau yno cyn i haul tanbaid yr haf eu goraeddfedu. Felly, ers gweddïau'r bore, dim ond hanner awr dros ginio roedd o wedi'i dreulio yn eu cwmni. Roedd y gweddïau wedi bod yn fyr, ac yntau wedi arwain y gweddïau cyhoeddus a'r gyffes ei hunan. Ac roedd y ferch 'na o Frasil... ni allai gofio ei henw eto fyth. Teimlai fod 'na rywbeth rhyfedd iawn am ei chwmni, rhyw rym hynod yn ei llygaid, grym a'i gwnâi fymryn yn anghyfforddus. Roedd wedi teimlo hynny wrth y drws ganol y prynhawn, ond roedd wedi'i deimlo'n waeth yn y gyffes.

Er nad oedd yn ei gweld yn glir na hithau'n ei weld ef, roedd y ddau lygaid yna'n llosgi drwyddo. Gwnâi ei phresenoldeb ef yn anesmwyth, ac weithiau roedd yn codi ofn arno. Gan ei fod wedi blino bellach, roedd awydd arno ofyn i'r Brawd Mihangel arwain y gwasanaeth i'r pererinion, ond byddai Mihangel hefyd wedi blino ac yntau wedi treulio oriau yn yr haul tanbaid yn cynaeafu'r mafon a'r eirin Mair, felly penderfynodd y byddai'n well iddo ef gadw'i air. Roedd eisoes wedi paratoi gweddïau pwrpasol ar gyfer y dydd, ac anerchiad ar gyfer y pererinion, ond byddai'n cadw'r cyfan yn fyr am heno.

Dechreuodd y clochydd ar ei waith; roedd hi'n ddeg munud i wyth. Estynnodd ei lyfryn nodiadau oddi ar ei ddesg, ac roedd llythyr y ferch o Frasil wrth ei ochr. Oedodd a darllen brawddeg neu ddwy, ond wrth ddarllen gwelai ddau lygad tywyll y ferch yn syllu 'nôl arno o'r ddalen felynaidd. Roedd hi fel petai ym mhobman. Taflodd y llythyr o'r neilltu a phlygu ei ben mewn gweddi fer. Teimlodd chwys oer ar ei dalcen. Od, meddyliodd, tydi hi ddim yn boeth yma. Yna cododd a cherdded yn bwyllog i gyfeiriad y festri i ymwisgo ar gyfer y gwasanaeth.

Edrychodd Gabriela ar ei horiawr. Roedd hi'n nesu at wyth, amser yr offeren. Roedd hi wedi treulio pedair awr yn Roncesvalles ac roedd hi bellach wedi cyfarfod y Brawd Martin, neu yn hytrach yr Abad Martin, ddwywaith. Roedd hi wedi clywed cymaint o sôn amdano ar hyd ei hoes, teimlai y gallai fod yn fwy hy arno nag y gallasai pererin cyffredin. Roedd wedi bod yn rhan o'i magwraeth yn yr eglwys. Pan fyddai unrhyw beth yn digwydd yn y plwy, fe'i mesurid yn fanwl â'r frawddeg "Sgwn i a fyddai'r Brawd Martin yn cymeradwyo hyn?" Byddai pob pregeth wedi'i phwyso yn y glorian Fartinaidd, a byddai gweithred o drugaredd a pheint o gariad wedi'u tywallt i botyn chwart y Brawd o Roncesvalles.

"Ond dim ond unwaith wnaethoch chi ei gyfarfod, Mama."

"Unwaith welodd y doethion y baban Iesu."

"Ond wyddoch chi ddim sut offeiriad ydi o."

"Mi wn i sut un ydi o, does 'na ddim llawer o 'ffeiriaid sy'n mynd ar eu gliniau i olchi traed pererinion blinedig..."

"Does 'na ddim llawer iawn o draed pererinion blinedig i'w golchi fan hyn."

A chwarddodd y ddwy. Roedd yna adegau pan fyddai ei mam yn chwerthin, a chwerthin harti fyddai hwnnw, fel petai llifddorau wedi'u hagor. Weithiau byddai'n anodd dirnad pam ei bod yn chwerthin yr adeg honno fwy nag unrhyw adeg arall – roedd fel petai rhyw glogyn mawr trwm wedi'i ddiosg am funud, ac edrychai ar Gabriela â glesni ysgafnach nag arfer yn ei llygaid. Roedd y munudau hyn yn rhai i'w cofio, a byddai Gabriela yn eu cadw'n ddiogel yng nghilfachau dyfnaf ei chof.

"Mi deimlais i sut offeiriad oedd o, a sut un fyddai o, wrth iddo anwesu 'nhraed blinedig i yn yr eglwys y diwrnod hwnnw. Doedd dim rhaid iddo ddweud gair, roedd tynerwch cariad Duw yn llifo dros fy enaid i gyda phob diferyn a lifai dros fy nhraed."

"Peidiwch â rhamantu, Mama..."

"Paid ti â rhyfygu."

Gwyddai ei bod wedi mentro'n rhy bell; roedd y chwerthin wedi mynd heibio. Sobrodd.

"Mair Forwyn, eiriol dros y ferch."

"Trugarha wrthyf."

"Maddau ei rhyfyg."

"Trugarha wrthyf."

"Arglwydd, trugarha."

Pan gamodd Gabriela i mewn drwy'r porth gorllewinol roedd yr eglwys yn gymharol lawn yn barod. Roedd ambell rai oedd wedi cyrraedd pen eu taith yn hwyr wedi gollwng eu paciau a'u rhoi i bwyso fel milwyr ar y mur gwyngalchog. Roedd hi'n fantais cerdded i mewn ar ei phen ei hun, a gallai weld sedd wag yn y drydedd res o'r blaen a hynny yng nghanol corff yr eglwys. Moesymgrymodd wrth gychwyn i lawr y llwybr canol ac ymgroesi, cyn cerdded yn dawel at y sedd wag. Heb hyd yn oed edrych ar ei chymydog, penliniodd ar y fainc fechan o flaen y sedd.

"Mair, fam ein Harglwydd, clyw fy nghri, gwrando ar fy ngweddi…"

Cododd ar ei heistedd. Roedd yr allor yn ddisglair bellach dan olau'r canhwyllau a osodwyd arni, a chan y lampau trydan oedd yn goleuo'r gangell fel llwyfan theatr. Cymerodd Gabriela gip sydyn dros ei hysgwydd a syllu ar y môr o wynebau llwydaidd a syllai'n fud y tu ôl iddi. Ar hynny, agorodd y porth mawr unwaith yn rhagor a daeth tair lleian gymharol ifanc i mewn, y tair wedi'u gwisgo mewn du sobr, ond yr hyn oedd yn mynnu sylw Gabriela a phawb arall a'u gwelodd oedd y paciau lliwgar ar eu cefnau. Roedd hi'n disgwyl gweld lleianod ar y bererindod, ond ddim yn eu gwisgoedd ffurfiol a phaciau ar eu cefnau. Gosododd y tair eu beichiau ochr yn ochr â'r bagiau eraill ar y mur cefn, cyn cerdded yn dawel at dair sedd ar ymyl y dorf ar ochr ddeheuol yr eglwys. Fel roedd y tair yn eistedd, cododd y gynulleidfa ar ei thraed wrth i'r abad a phedwar o'r mynaich gerdded i mewn drwy ddrws y festri. Syllodd Gabriela ar wyneb llwyd yr abad. Roedd golwg legach arno, lludded yn ei lygaid, a'i ên a ymddangosai mor gadarn ddechrau'r prynhawn bellach yn hongian yn llipa. Yr eiliad honno, fflachiodd golygfa dywyll, ddu drwy ei meddwl. Clywodd sŵn gwynt gaeafol, diffoddodd y canhwyllau a chlywodd sŵn cwpan arian yn tincial ar lawr carreg ac wyneb llwyd yr abad yn gam i gyd gan boen. Caeodd ei llygaid ac ysgwyd ei phen cyn mentro edrych ar yr eglwys eto. Roedd popeth yn ôl fel y bu ac roedd y gwasanaeth ar fin dechrau.

Ni chawsai'r abad hi mor anodd i arwain gwasanaeth erioed.

Roedd popeth yn straen, hyd yn oed agor ei enau i lefaru yn waith caled, a theimlai fod ei eiriau'n un gybolfa hanner meddw. Roedd ei lygaid yn bŵl a darllen y llyfr gwasanaeth yn dasg. Câi ei dagu gan aroglau melys yr arogldarth, a chredai ei fod bron iawn yn blasu arogleuon cŵyr y canhwyllau o'i gwmpas. Ysai am weld diwedd y gwasanaeth. Deisyfai am glydwch distaw ei gell a chwsg y nos. Nid oedd yn rhy sicr beth a ddywedodd yn ei anerchiad; er bod ganddo nodiadau o'i flaen, ni allai gofio a lefarodd air ohonynt.

Ni allai Gabriela wneud pen na chynffon o anerchiad yr abad. Dywedodd wrthynt am bwysigrwydd y bererindod, bu'n sôn am ymchwil yr enaid, a chyfeiriodd mewn ffordd garbwl, ryfedd at olchi traed ei gilydd, ond daeth yr anerchiad i derfyn yn ddigon ffwr-bwt. Yna daeth yr offeren. Roedd llais yr abad yn araf, bwyllog fel petai'n darllen gwasanaeth anghyfarwydd, ac ambell dro gallai Gabriela daeru ei fod yn feddw.

Plygodd yr abad ei ben yn isel wrth fendithio'r afrlladen, a theimlai'r gwaed yn brysio drwy wythiennau ei benglog bregus. Ni wyddai a allai godi ei ben drachefn. Synhwyrodd y Brawd Andreas nad oedd yn dda a chydiodd yn ei fraich. Roedd hynny'n ddigon i'w gynorthwyo a llwyddodd i godi ei ben unwaith eto.

Roedd yn amlwg i Gabriela nad oedd yr abad yn gallu cynnal y gwasanaeth. Cawsai hi'n anodd codi'r afrlladen i'w bendithio, roedd yn ansicr ar ei draed ac âi ei wyneb yn welwach a gwelwach.

Cydiodd yn y cwpan arian â dwy law, y metel gwerthfawr yn oer dan ei ddwylo. Edrychodd ar y gwin coch tywyll yn y cwpan, a chydag ymdrech fawr, cododd ef yn uchel.

"Gwaed ein Harglwydd..."

Teimlodd boenau tanllyd yn rhwygo'i freichiau, yn gwasgu ei asennau, yn trywanu ei galon, ac yn araf, araf gwelodd y cwpan, y cwpan a ddaliai waed ei Arglwydd, yn llithro o'i ddwylo bregus. Gwelodd o'n troi, y boen yn hyrddio drwyddo, y gwaed yn tywallt dros y lliain gwyn, y pangfeydd yn rhidyllu drwy ei gorff, y cwpan gwag yn taro'r bwrdd, ei ben fel petai'n ffrwydro, a sŵn tinc dychrynllyd y cwpan yn taro'r llawr cerrig drosodd a throsodd a throsodd, fel cnul ei angladd.

Syrthiodd yr abad ar draws yr allor, ei wyneb wedi'i blygu gan boen, ei geg agored yn gam, yntau'n glafoerio'n ffiaidd a dau lygad llydan agored yn syllu allan tuag at Gabriela a'r gynulleidfa gegrwth. Fe fu farw yno â gwaed Crist wedi'i dywallt dros yr allor a'r llawr. Gadawodd pawb yr eglwys yn fud. Cymerodd Gabriela un cip dros ei hysgwydd wrth gamu drwy'r porth, a gweld un o'r Brodyr yn cau llygaid pŵl yr abad. Daeth y dydd i ben, ac mewn mudandod syfrdan yr aeth y pererinion i'w gwlâu.

Ni chysgodd neb fawr ddim y noson honno yn yr ysgubor fawr, a bu trafod tawel, dwys tan oriau mân y bore, er na chlywodd Gabriela fawr ohono. Cydiodd blinder trwm yn ei chorff cyfan, a chysgodd yn dawel, dawel.

iv. I dwll y diawl

Roedd hi'n lled dywyll drannoeth, awgrym o wawr yn gwaedu ar y gorwel, niwl tenau yn glynu wrth y caeau a'r coed yn fysedd tywyll bob ochr i'r llwybr. Roedd y pererinion fel un gŵr wedi codi'n blygeiniol er mwyn gadael Roncesvalles. Prin y clywid gair gan fod pawb yn dawel heblaw am ambell sibrydiad rhwng dau. Codai arogl sur o'r clystyrau coed, arogl dŵr cors yn sychu mymryn, ac nid oedd awel, nid oedd deryn i ganu, dim ond tramp ysgafn traed ar y llwybr caled ac ambell garreg rydd yn crensian dan draed. Nid oedd Gabriela wedi profi dim o'r fath erioed o'r blaen – roedd hi mewn angladd heb na chorff nac offeiriad, dim ond cadwyn hir o alarwyr mud.

"Cofia, dim deigryn, Gabriela."

"Iawn, Mama."

Cydiodd yn llaw ei mam, a'r faneg ddu yn gwneud y cyfarwydd yn brofiad dieithr. Safodd y ddwy fel delwau wrth yr eicon i Fair ar fôn y grisiau. Clywodd sibrwd tawel ei mam, ac ymunodd hithau yn y geiriau cyfarwydd. Ymgroesodd y ddwy, a chydag ochenaid trodd ei mam at y drws. Llifodd golau haul llachar ar y llawr teils wrth i'r drws agor. Roedd ei sgidiau patent du yn disgleirio, a thynnodd ei mam y mymryn les du dros ei hwyneb.

"Dyna ti."

"Ydw i'n bictiwr, Mama?"

Syllodd ei mam yn rhyfedd arni.

"Tyrd," a chamodd y ddwy i'r stryd lychlyd.

Syllodd Gabriela ar y llu o bobl a safai yno yn y stryd yn disgwyl amdanynt.

"Mama, pwy ydi'r bobl 'ma i gyd?"

"Sh, Gabriela!" sibrydodd ei mam gan ei throi gerfydd ei llaw i wynebu'r ffordd arall, a chafodd ei hun yn syllu ar yr hers enfawr a safai ar ganol y stryd, a dau geffyl tywyll yn anniddig o'i blaen. Nodiodd ei mam ar y gŵr dieithr mewn côt dinfain ddu a het silc yn ei law a safai wrth ymyl yr hers. Trodd yntau a chamu'n araf o flaen yr hers. Yna, i gyfeiliant carnau'r ceffylau ac ocheneidiau olwynion yr hers, dilynodd Gabriela, ei mam a'r dorf enfawr o'r tu ôl iddynt.

"Ond pwy ydi'r holl bobl 'ma, Mama?" mentrodd ofyn eto ymhen rhyw ddau neu dri munud o gerdded.

"Ffrindiau dy dad."

"Ond fuon nhw ddim yn gweld Tada."

"Naddo falla, ond mi fyddan nhw'n 'i golli o."

"'Run fath â ni?"

"Na, ddim 'run fath â ni."

A nadreddodd yr orymdaith dywyll ei ffordd tua'r fynwent – merch fach ddu ei gwallt mewn gwisg ddu yn dilyn yr arch o goed tywyll yn yr hers dywyll a dynnid gan feirch tywyll a dywysid gan yr het silc dywyll yn yr haul llachar, gan ddringo'r holl ffordd i'r fynwent a'i mur gwyngalch. Ond ni chollwyd deigryn gan y ferch fach benddu a'i sgidiau patent sgleiniog.

Erbyn cyrraedd pentref Burguete roedd mudandod angladdol y cerddwyr yn dechrau pallu, er y byddai ambell un yn dweud mai tawelwch y deffro cynnar oedd y cyfan. Nid oedd Gabriela wedi gweld neb yn marw o'r blaen. Gwelsai gyrff y meirw, ac roedd hi a'i mam yn naturiol wedi cadw gwylnos uwch corff ei thad, a hefyd wedi ymuno â theuluoedd eraill yn eu gwylnosau hwythau, ond roedd bod yn dyst i anadl olaf yr abad yn wahanol, yn wahanol iawn. Cawsai ei themtio i anwesu croen melynaidd, meddal wyneb ei thad yn ei arch, ac roedd hi wedi'i syfrdanu gan feinder llwm wyneb ei hewyrth, brawd ei mam, ond profiad gwahanol iawn oedd gweld y chwys, y gwrid rhyfedd ac yn anad dim y llygaid llydain a syllai arni hi a gweddill y gynulleidfa neithiwr. Daliai arogleuon y gwin cymun yn ei ffroenau ac roedd tinc y cwpan yn canu o hyd. Wrth gofio, roedd ei chalon yn curo'n gyflymach, ond nid oedd hynny'n ei synnu.

"Ti'n iawn?" sibrydodd llais cyfarwydd y tu ôl iddi.

"Peter, paid â gwneud hynna!"

"Be?"

"Sleifio tu ôl i rywun mor dawel."

"Ond dwi'n cerdded tu ôl i ti ers hanner awr. Rwyt ti wedi bod yn dy fyd bach dy hun."

"Pawb ohonon ni, dwi'n credu."

"Hynny'n ddigon gwir, dychryn decini."

"Wyt ti wedi gweld rhywun yn marw o'r blaen?"

"Naddo."

Hanner sibrwd y sgwrs roedd y ddau wrth gerdded drwy'r pentref, fel petai arnyn nhw a phawb arall ofn siarad yn uchel am yr hyn a ddigwyddodd. Roedd y cyfan yn saff mewn sibrydiad. Nid oedd Gabriela wedi sylwi'n iawn ar Peter cyn hyn, a'r argraff gyntaf a gawsai neithiwr yn un ddiddrwg ddidda ohono. Doedd o ddim yn drawiadol o olygus, ei wallt ddim yn llachar felyn na'i lygaid yn llachar las, a digon cyffredin oedd ei ddillad – fe allech ei golli mewn torf yn rhwydd. Ond yng ngolau cynta'r bore roedd awch yn ei wên a bywyd rhyfedd yn ei lygaid. Nid oedd hwn heb ei anwyldeb ychwaith, ac roedd 'na gysur yn ei gwmni yn ystod y bore bach fel hyn.

Wedi cyrraedd ochr bellaf y pentref gadawai'r llwybr y ffordd fawr a chroesi pompren cyn eu tywys ar draws caeau gwastad, helaeth. Cerddodd y ddau mewn tawelwch am sbel, a Gabriela'n mwynhau clywed camau cadarn Peter ar y cerrig mân ar y llwybr. Roedd y dyrfa wedi gwasgaru peth erbyn hyn hefyd, a rhai llathenni rhwng y gwahanol grwpiau bychain o gerddwyr. Cwpwl hŷn oedd yn cerdded rhyw ddeg llath o'u blaen, y bagiau treuliedig ar eu cefnau yn tystio nad dyma'u taith gyntaf, a'r naill a'r llall yn cario dwy ffon fetel ysgafn. Cerddai'r ddau fel milwyr, cam y naill a'r llall yn gyfartal a'u hamseriad wedi'i briodi'n berffaith gan filltiroedd lawer o gerdded. Roedd o'n amlwg yng nghanol ei chwedegau, a'i hwyneb hi'n awgrymu ei bod hi dipyn yn iau, ond i lygaid merch roedd ei chorff yn dangos ôl oedran digon agos at ei gŵr. Gan fod y ddau'n cerdded fymryn yn arafach na Peter a Gabriela, yn fuan iawn roedd y ddau ifanc yn goddiweddyd y pâr hŷn. Trodd y wraig yn fwriadol atynt wrth iddynt basio a gwên yn llenwi ei hwyneb. Roedd fel petai'r byd i gyd yn cael ei oleuo gan ei gwên.

"Pererindod dda!" dymunodd iddynt.

"Diolch," meddai Gabriela, "a phererindod dda i chithau hefyd."

Nid oedd yn siŵr iawn pa iaith roedd y ddau yn ei siarad â'i gilydd, gan ei bod hi'n ddieithr iddi hi ac i Peter. Ond roedd y ddau'n amlwg yn trafod Peter a hithau wedi iddynt fynd heibio. Nid oedd Gabriela'n drwglecio'r syniad fod pobl yn credu fod Peter yn gariad iddi. Doedd neb y gellid breuddwydio ei ddisgrifio felly wedi bod ar y gorwel ers blynyddoedd bellach.

Nid oedd Peter yn rhy siŵr oedd ei galon yn curo'n gyflymach oherwydd eu bod yn cerdded yn bur gyflym ynteu oherwydd ei fod yn cerdded wrth ochr Gabriela. Roedd wedi sylwi arni ar y trên i Saint-Jean-Pied-de-Port, nid fod Gabriela wedi sylwi arno fo ychwaith. Gallai o ddiflannu i'r cefndir yn rhwydd. Pan oedd o'n eistedd ar y trên yn Biarritz, wrth i bererinion eraill lusgo'u hunain yn lluddedig i mewn i'r cerbyd hynafol, daeth Gabriela i mewn, ei gwallt tywyll yn disgleirio a'r mymryn haul a dywynnai arni drwy'r ffenestr fel petai'n cael ei gostrelu yn ei llygaid. Estynnodd ei ben ychydig i'r chwith fel y gallai ei gwylio drwy'r hollt fain rhwng dwy sêt. Cafodd ei hudo ganddi, ac ar hyd y daith araf i Saint-Jean cadwodd lygaid craff arni tra darllenai hi lyfryn tenau – manylion y bererindod, neu felly y tybiai.

Collodd olwg arni yn Saint-Jean, er tristwch iddo, ac roedd wedi gobeithio – yn wir, wedi gweddïo – y byddai eu llwybrau'n croesi yn Roncesvalles. Ni allai gredu ei fod yn awr yn cerdded gam wrth gam gyda hi, ei llygaid yn dal yn fwrlwm tywyll, hyd yn oed os oedd difrifoldeb dwys marwolaeth yr abad i'w weld yn siâp ei gwefusau. Wrth ddilyn y llwybr bellach bu'n rhaid croesi ambell ffos go ddofn, cyn dringo mymryn o allt drwy lwyn coed bychan, ac felly nid oedd lle i gerdded ochr yn ochr. Gadawodd i Gabriela fynd ar y blaen, a chafodd ei hun yn anorfod yn syllu ar ei phen-ôl twt, a thoriad ei throwsus yn tynnu sylw at ei chorff siapus a'i choesau main. Roedd taith y diwrnod yn gwella ar bob cam.

Codai'r allt yn fwy a mwy serth ac âi'r llwybr yn lled gul. Roedd Gabriela yn gyrru arni yn go galed, yn ymwybodol o bresenoldeb agos Peter y tu ôl iddi. Doedd hi ddim eisiau iddo fod yn rhy agos, a doedd hi ddim am roi'r argraff ei bod hi'n ferch wantan, ara deg. Llifai'r chwys bellach, a haul y bore yn cynhesu bob munud. Roedd cysgod y coed yn braf, a'r cyfnodau o gerdded drwy lwyni isel yn llygad yr haul yn tynnu ar ei hegni.

"Mama, dwi isio diod."

"Taw, wir, tyrd yn dy flaen!"

"Ond mae hi'n boeth, Mama."

"Taw â dy gwyno."

Ac roedd ei llaw wedi'i chau yn dynn yn nwrn ei mam, ac yn chwyslyd. Roedd gafael ei mam fel feis a theimlai mai cael ei llusgo i fyny'r allt roedd hi. Nid oedd mynd am dro yn llaw ei mam yn debyg i fynd am dro plant eraill efo rhiant. Byddai ei mam yn martsio mynd a hithau ar flaenau ei thraed yn rhedeg ar ei hôl.

"Ond mae 'na ddŵr yn y botel."

"Ar gyfer y bloda mae hwnna."

"Ond dwi isio diod."

"Sawl gwaith mae isio dweud? Taw â dy gwyno!"

Ac o gŵyn i gŵyn fe gyrhaeddodd y ddwy giât y fynwent ar ben yr allt. Roedd y muriau uchel wedi'u gwyngalchu'n llachar, porth hanner crwn i'r fynwent a giât haearn drom yn cadw'r ysbrydion rhag dianc. Safodd ei mam yn yr heulwen ddisglair o flaen y porth. Gollyngodd law chwyslyd Gabriela, rhoi'r blodau ar lawr, tacluso rhyw gymaint ar ei gwisg ac ailglymu ei gwallt ar ei gwar, cyn codi'r tusw bychan trist unwaith yn rhagor. Rhythodd Gabriela ar y ddwy fadfall felen a lynai'n solet wrth y mur ar y chwith i'r porth. Roedd y ddwy'n berffaith lonydd. Yna, wrth i'w mam gamu'n nes at y llidiart, gwibiodd y ddwy ar amrantiad dros gopa'r mur.

"Tyrd wir, hogan," arthiodd ei mam wrth ddringo'r tri gris at y llidiart.

Neidiodd Gabriela i fyny'r grisiau ar ei hôl, a rhoddodd y llidiart wich ddofn wrth i'w mam ei gwthio'n agored.

Roedd cysgod y muriau'n ddigon i yrru ias oer ar hyd ei chefn.

"Ias oerllyd, eneidiau anniddig," meddai ei mam wrth weld Gabriela'n plethu'i breichiau i amddiffyn ei hun rhag yr oerni. "Rhybudd i ni i gyd gyffesu ac erfyn ar Fair am drugaredd ei Mab."

"Ydi enaid Nhad yn oer ac anniddig, Mama?"

"Nac ydi, Gabriela, nid os wyt ti'n gweddïo drosto bob dydd, ac yn erfyn ar Ein Harglwyddes fel merch fach dda."

"Ydw, Mama... Be am Taid, ydi o'n oer?"

"Nac ydi, Gabriela."

"Ond dydi Nain ddim yn gweddïo ar ein Harglwyddes, mae hi wedi taflu'i heicon, a dydi hi ddim yn cyffesu ar nos Sadwrn, nac yn mynd i'r offeren, ers i Tada farw. Does ganddi hi fawr i'w ddweud wrth Fair, dyna ddwedodd hi wrtha i..."

"Paid â dweud ffasiwn beth..."

"Ond dyna mae Nain..."

"Taw, paid ag ailadrodd cabledd hen wraig yn ei galar. Gweddïa am i Fair faddau i ti a phuro dy dafod ffiaidd."

"Ond Mama, be am Nain?"

"Rhaid i ni weddïo drosti, wedi colli gafael dros dro mae hi. Mair fam yr Iesu, trugarha."

"Arglwydd, trugarha."

Cerddodd y ddwy'n ôl i lygad yr haul yng nghanol y fynwent. Syllodd Gabriela ar y lluniau bychain ar y cerrig beddi, ac ambell fadfall ddioglyd yn torheulo ar farmor gwyn. Llusgodd ei hun ar ôl ei mam at garreg fedd ei thad. Roedd ei mam bellach wedi taflu'r blodau gwywedig a thywallt y dŵr budr ar lawr. Estynnodd y botel o ddŵr o'i phoced ac yna gosod y tusw o flodau syml yn y fâs wydr. Ymgroesodd ac offrymu ei gweddi dros enaid ei gŵr. Penliniodd Gabriela wrth ochr ei mam, ac ymgroesodd hithau ac offrymu ei gweddi fechan. Llosgai'r haul ar wegil y ddwy a chrafangodd chwilen fawr ddu ei ffordd dros lythrennau cerfiedig y garreg fedd.

Wedi'r dringo serth cychwynnol, roedd y llwybr o Burguete i Zubiri yn un digon dymunol – cyrraedd ambell bentref bach cysglyd a ffordd wledig dawel cyn cerdded llwybr yn dilyn yr esgeiriau drwy'r coed a'r llwyni. Bellach roedd y llwybr yn ddigon llydan i'r ddau gerdded ochr yn ochr. Bu Gabriela yn holi Peter yn dwll, ac erbyn hyn gwyddai hanes ei deulu, hanes ei ffrindiau ysgol, a'i elynion, a'i fod yn hoff o ffilmiau yn enwedig rhai ffuglen wyddonol. Roedd hi hyd yn oed yn hanner deall ei obsesiwn â phêl-droed. Ond wrth gerdded i lawr y llwybr serth tuag at dref Zubiri, sylweddolodd Peter nad oedd Gabriela wedi datgelu odid ddim amdani hi ei hun. Nid oedd yn poeni am hynny – roedd y ffaith ei bod yn holi cymaint arno yn dangos nad oedd hi'n gwbwl oeraidd tuag ato. Gwyddai ym mêr ei esgyrn y byddai rhywbeth arbennig iawn yn datblygu rhyngddo ef a Gabriela.

"Iwhw!" meddai'r llais cyfarwydd, gan dorri tangnefedd tŷ a siop Hernan yn Zubiri fel cyllell. "Dwi 'nôl," ychwanegodd â'r un brwdfrydedd gwichlyd.

Roedd Maria wedi treulio teirawr wrth ei bodd. Dyna fantais fawr gweithio yn Emporiwm Hernan – roedd ganddi deirawr o siesta, a hynny dafliad carreg o dŷ ei chwaer. Felly heddiw, am un o'r gloch ar ei ben, fel roedd Hernan yr ieuengaf yn hongian y *shutters* pren henffasiwn, roedd Maria wedi dawnsio'i ffordd ar draws y sgwâr bach, heibio'r ffynnon, croesi'r ffordd fawr a chyn pen dim roedd wedi'i hamgylchynu gan chwerthin hudolus Anthea fach a chanu bodlon deunaw mis oed ei brawd, Tomas. Yn ei gofal hi roedd y ddau tan bedwar ac roedd Maria wedi cynllunio popeth, fel y gwnâi bob wythnos.

"Fyddi di'n iawn?"

Cofiai'r cwestiwn trymlwythog hwnnw ofynnodd ei chwaer iddi y pnawn cyntaf iddi warchod.

"Wrth gwrs y bydda i," sbonciodd yr ateb parod. "Mi fydd Anthea a fi fel y gog."

"Ffonia fi os bydd o'n ormod i ti, mi ddo i 'nôl yn gynt."

"Paid â rwdlan, ffwrdd â ti," a'r dagrau'n dechrau cronni.

"Tan bedwar 'ta."

"Dos, neu mi fydd yn bedwar."

A throes y pnawn bach hwnnw yn ddefod wythnosol. Ymddangosai Maria yn nhŷ ei chwaer wedi'i gwisgo fel clown, fel cath, yn cario pypedau, yn jyglo bagiau ffa... doedd Anthea na bellach Tomas byth yn gwybod beth i'w ddisgwyl nesaf gan Maria.

"Pam ti'n crio, Maria?"

"Maria sy'n bod yn wirion, Anthea," atebodd Maria gan wenu arni.

"Gwna lais gwirion hefyd."

"Sut lais felly?" meddai gan ddynwared hwyaden, a dechreuodd Anthea chwerthin o waelod ei bol, y chwerthiniad dwfn, heintus hwnnw oedd gan Anthea hyd yn oed yn ddyflwydd oed. Y chwerthiniad a foddodd ddagrau Maria y pnawn hwnnw, a phob pnawn tebyg ers hynny.

Roedd hi wedi cymryd blwyddyn i Maria gynnig gwarchod Anthea, blwyddyn pan wyddai fod arni eisiau ymweld â'i chwaer, eisiau codi Anthea yn ei breichiau, ei chofleidio pan fyddai ei byd bach hi'n deilchion, cusanu ei thraed bychain, gadael iddi wasgu ei bys yn dynn, dynn. Ond bob tro y penderfynai fynd i gartref ei chwaer, byddai'r geiriau'n canu yn ei chof.

"Mae gen i newydd drwg i ti, Maria." Meddyg ifanc oedd o, dim hŷn na Maria ei hun.

"Newydd drwg? Be dach chi'n feddwl?"

"Yn ystod y driniaeth..."

"Ond dim ond triniaeth fach oedd hi..." Ond gwyddai wrth ddeffro o'r anesthetig fod rhywbeth mawr wedi digwydd i'w chorff. Gallai pobl chwerthin am ei phen wrth iddi sôn am y newid hwnnw – roedd hi'n amau ei bod hi wedi gweld gwên goeglyd gan un meddyg wrth iddi ddweud wrtho unwaith – ond roedd hi'n gwybod. Wrth ddeffro o'i thrwmgwsg roedd hi wedi teimlo'r gwacter o'i mewn.

"Yn ystod y driniaeth, fe ddaeth hi'n amlwg fod 'na gymhlethdodau annisgwyl yn dy achos di."

"Cymhlethdod annisgwyl? Oeddach chi'n disgwyl 'mod i eisoes wedi beichiogi a 'mod i'n disgwyl efeilliaid?"

Gwenodd y meddyg, gwên ansicr, nerfus, gwên gŵr y byddai'n well ganddo beidio â gwenu yr eiliad honno.

"Be sy'n bod?" holodd Maria fel twrnai ac arogl clorin yr ysbyty yn codi cyfog arni.

"Roedd y tiwbiau Ffalopaidd..."

"Tydi o'n enw ofnadwy ar ran o gorff rhywun, 'dwch, tiwbiau Ffalopaidd? Mae o fel rhan o system gwres canolog." Siaradodd Maria i lenwi'r oedi. Byrlymodd y geiriau i dewi'r sŵn a'i llethai, sŵn y geiriau nad oedd y meddyg yn gallu eu dweud. Roedd 'na wacter bellach yng nghanol ei chorff, ac roedd 'na wacter yng nghanol ei bod. Roedd canol ei bywyd yn wag o'r diwrnod hwnnw.

"Oes 'na rywbeth medrwch chi wneud?"

"Nag oes, mae gen i ofn."

Roedd ei thiwbiau Ffalopaidd wedi'u clymu am byth, ac fe gymerodd flwyddyn gron i Maria fentro i dŷ ei chwaer, blwyddyn pan dyfodd Anthea mor gyflym. Ond bellach roedd Tomas yno hefyd, a hithau'n cael gwirioni ar y ddau. Gwirioni fel modryb heb y cyfrifoldeb. Anthea a Tomas oedd ei bywyd.

"Dim ots gen i, Maria, dwi'n dy garu di, nid dy groth di," meddai Max â'i daerineb tanbaid.

"Tiwbiau Ffalopaidd, Max, tria ddeall."

"Paid â thrio gwneud jôc o'r peth."

"Be arall fedar rhywun ei wneud efo plymio?"

"Maria, plis."

"Max, plis. Gwranda arna i. Dwi'n gwybod dy fod ti'n ysu i gael plant, a fedra i ddim rhoi plant i ti."

"Ond does dim ots gen i."

"Ond mi *fydd* ots gen ti."

"Mi fedrwn ni fabwysiadu."

"Max, gwranda, dwi'n gwybod sut bydd hi. Mi fydd popeth yn iawn am sbel, ond yna, yn ara bach, mi ddaw fy nhiwbiau Ffalopaidd i rhyngon ni."

"Na... ddôn nhw ddim."

"Ac mi gawn ni'n gwthio ar wahân. Mae hi'n well i ni orffen rŵan, dim chwerwder, dim dicter, mi gawn ni aros yn ffrindiau hyd yn oed. Ond fydd fy methiant i ddim yn cael bod yn bydredd ara bach sy'n bwyta popeth."

"Maria, paid â gwneud hyn i ti dy hun."

"Gwarchod fy hun ydw i, Max, a dy warchod di."

Ac felly y bu. Roedd Maria yn benderfynol yn ogystal â bod yn fyrlymus a brwdfrydig. A'r bwrlwm hwnnw a barodd i Hernan yr ieuengaf wenu iddo'i hun wrth i'w "Iwhw!" atsain drwy'r emporiwm am bum munud i bedwar ar brynhawn braf. Gwenodd Hernan, estyn ei law at y chwaraewr CD a diffodd 'Y Dioddefaint yn ôl Sant Mathew' gan Bach. Daeth tawelwch i lenwi pob cornel o'i gell foethus. Ciliodd y nodau cyfoethog, caeodd y gyfrol ar hanes Gwlad y Basg yn y bedwaredd ganrif ar bymtheg, daeth ei brynhawn tawel i ben a chyhoeddodd "Iwhw!" llawen Maria ei bod hi'n amser agor unwaith eto.

Bu cryn drafod yn y Siambr Fasnach am hyd y siesta – pawb o'r farn fod y teirawr draddodiadol yn ormod, ac roedd amryw bellach yn parhau ar agor, ambell siop wedi cau am awr yn unig, ond nid felly Emporiwm Hernan.

"Teirawr roedd fy nhad yn ei chael, teirawr roedd fy nhaid, ac am deirawr bydda innau ar gau hefyd. Siesta yw siesta." Dyna'r araith hwyaf iddo ei rhoi erioed – efallai yn wir mai dyna ei unig araith i'r Siambr Fasnach. Troi eu trwynau wnaeth amryw o'r masnachwyr ieuengaf, a chondemnio Hernan yr ieuengaf fel un caeth i draddodiad a syniadau ei dad a'i daid. Ond petai rhywun wedi trafferthu gofyn pam, byddai Hernan wedi cydnabod mai cwbwl hunanol oedd o – roedd o am ddiogelu ei seintwar dawel yn gwrando ar Bach a darllen ei lyfrau. Roedd teirawr dawel yn ei gell, heb neb i'w styrbio, yn hanfodol iddo. Ni allai fodoli heb hud rhyfedd y ddihangfa ddyddiol.

"Pan ddoi di i Zubiri, Gabriela, y bont fydd y peth cynta weli di, y bont brydfertha i mi ei gweld erioed, mae hi'n odidog. Dydi hi ddim yn bont fawr, bwa bach syml yn codi ymhell goruwch yr afon, a phan gerddi di drosti mi fyddi di'n gwybod dy fod yn cerdded ar y cerrig mae'r pererinion wedi'u cerdded am ganrifoedd ar ganrifoedd. Cofia ddiolch i Fair am dy gadw di ar y daith, fel mae hi wedi cadw pererinion ar hyd y canrifoedd."

"Ond mae Nain yn dweud..."

"Paid â phoeni be mae dy nain yn ei ddweud."

"Ond beth am y pererinion sydd wedi marw ar y daith? Doedd Mair ddim yn eu gwarchod nhw."

"Be ddwedaist ti?"

"Doedd Mair..."

"Paid â'i ailadrodd."

"Ond Mama..."

"Mae o'n ddigon drwg i dy nain beryglu ei henaid ei hun, ond mae hi rŵan yn gwenwyno dy enaid di, Gabriela."

"Dydi hynna ddim yn deg."

"Digon. Wyt ti am fynd ar dy union i dân uffern - heb hyd yn oed obaith y purdan? Arglwydd, trugarha."

Syllodd ei mam arni a thân bygythiol yn ei llygaid.

"Arglwydd, trugarha," meddai eto a bygythiad chwerw yn ei llais.

"Crist, trugarha," ymatebodd Gabriela mewn sibrydiad.

"Arglwydd, trugarha," meddai ei mam yn fwy penderfynol fyth.

"Crist, trugarha," meddai Gabriela a dagrau'n cronni yn ei llygaid.

Siom oedd y bont yn Zubiri i Gabriela. Roedd hi wedi disgwyl pont osgeiddig dros afon lydan, ond nid oedd dim yno ond pwt o bont dros nant fach bitw. Prin ei bod yn haeddu'r fath glod gan bawb. A digon siomedig oedd hi yn Zubiri ei hun hefyd. Tref foel, heb lawer o gymeriad, heb lawer i'w weld. Rhyw driongl oedd y pwt o sgwâr gydag esgus o ffynnon ar ei ymyl, eglwys ar un ochr, horwth o adeilad concrid ar yr ochr arall a siop fwyd henffasiwn yr olwg, Emporiwm Hernan, yr ochr arall. Ond hyd yn oed os oedd Zubiri yn siomedig, penderfynodd Gabriela na cherddai yr un cam yn fwy y diwrnod hwnnw, a'r un oedd penderfyniad Peter.

Nid oedd llawlyfr y pererinion yn rhy ganmoliaethus am y *refugio* swyddogol, felly penderfynwyd ceisio cael lle yn y llety newydd oedd wedi agor rhyw ugain llath o'r bont. Edrychai fel siop o'r tu allan, ond roedd yr ystafelloedd cefn yn llawn o wlâu bync, a Gabriela a Peter gafodd y ddau wely olaf am ddeg ewro yr un. Ond un peth oedd cael ystafell – trafferth fawr Zubiri oedd diffyg unrhyw beth i'w wneud. Roedd fel petai'r dref gyfan ar gau. Roedd y ddau wedi blino – doedden nhw ddim wedi arfer cerdded nac wedi arfer â'r gwres – ac ar ôl cawod yn y llety doedd dim i'w wneud heblaw aros i ambell siop agor ei drysau. Nid oedd Emporiwm Hernan, er enghraifft, yn ailagor tan bedwar yn y prynhawn.

"Mae 'na hen, hen siop yn Zubiri, Emporiwm Hernan ydi'i henw hi; mae hi ar y sgwâr wrth ymyl yr eglwys. Roedd hi 'run fath â siop adra, yn dal i werthu pethau allan o sachau. Cofio basgedaid enfawr o wyau gwyn ar y cownter, ac mae eu bara nhw fel bara angylion Duw. Pan ei di ar dy daith, bydd yn rhaid i ti fynd yno a chofia fi at y perchennog, yr hen ŵr anwyla'n fyw. Mi roddodd o afal coch i mi, ar ben y bagiad neges roeddwn i wedi'i brynu, am 'mod i'n bererin medda fo, ac roedd yn mynnu rhoi help llaw i bererinion."

"Tyrd," meddai Peter yn bendant.

"I ble?" meddai Gabriela. "Dwi wedi gweld y bont bedair gwaith a dwi wedi yfed dŵr o'r ffynnon deirgwaith. Be wyt ti isio i fi wneud rŵan, croesi'r bont ar fy nglinia?"

"Na, mae hi'n bum munud i bedwar, mae'r siop yn agor am bedwar."

"Haleliwia, gawn ni sbio ar y bleinds yn agor!"

"Tyrd yn dy flaen, mae o'n well na gorwedd ar y gwlâu 'ma."

"Iawn, ond aros am eiliad," meddai Gabriela gan godi oddi ar ei gwely a thyrchu yn ei sach.

"Be wyt ti isio?"

"Pincio dipyn gan ein bod ni'n mynd am dro," meddai a ffwrdd â hi am y lle chwech a'i bag ymolchi streipiog dan ei chesail.

"Merched," mwmiodd Peter dan ei wynt. Fyddai o byth yn eu deall nhw. Roedd 'na ddirgelwch y tu ôl i'r llygaid tywyll yna nad oedd modd iddo'i dreiddio hyd yn hyn. Ond chwarae teg, dim ond dau neu dri munud fuodd hi'n ymbincio, chwedl hithau. Rhoddodd ei bag ymolchi i gadw, cau ei sach, a chamodd y ddau allan i'r haul tanbaid. Roedd y tair lleian a welsant yn Roncesvalles yn croesi'r bont ar ben draw'r stryd, a rywsut roedd Peter yn siomedig nad oedd y tair yn eu gwisgoedd duon arferol. Roeddent wedi newid ac yn gwisgo dillad llwyd, llaes, ysgafn, ac oni bai am eu penwisgoedd go brin y byddai neb wedi'u hadnabod fel lleianod. Safodd Gabriela fel delw, yn syllu ar y tair yn llusgo'u hunain yn chwyslyd ar hyd y stryd, eu hwynebau'n welw ond gwên lydan, fodlon yn llygaid y fyrraf ohonynt.

"Pererindod dda," cyfarchodd Gabriela hwy, "a bendith ein Harglwyddes arnoch."

"Ac arnat tithau, fy merch," atebodd yr hynaf dros y tair.

Syllodd Peter ar Gabriela yn ymgroesi ac yn moesymgrymu fymryn wedi i'r tair basio.

"Emporiwm Hernan?" holodd Peter.

"Dydi Hernan ddim wedi agor eto," atebodd Gabriela'n fywiog.

"O ydi mae o!"

"O nac ydi, dydi o ddim."

A chlywyd cloch drws henffasiwn Emporiwm Hernan yn canu wrth i'r perchennog gamu allan a dechrau tynnu'r dorau pren oddi ar ffenestri'r siop.

"Un i mi, dwi'n meddwl."

"O, Pedr gystadleuol sydd gynnon ni felly."

"Fawr o siawns yn erbyn angel chwaith."

Difrifolodd Gabriela mewn amrantiad.

"Paid byth â 'ngalw i'n hynna."

"Pam?"

"'Yn angel bach i, tyrd yma."

"Ond Tada, dwi isio lliwio hwn."

"Gei di liwio hwnna wedyn, tyrd ar lin Tada."

"Ond dwi isio lliwio rŵan, cael mwytha wedyn."

"Tydi mwytha ddim i'w cael bob amser, fy angel i," meddai, gan ochneidio.

"Dim ond Tada oedd yn fy ngalw i'n angel."

"Sori."

Camodd y ddau i mewn i'r emporiwm, a chamu i mewn i fyd arall gan ei bod hi'n odidog o oer yno o'i gymharu â gwres llethol y stryd. Llifai arogleuon melys ffrwythau ffres tuag atynt, ac arogl pridd yn sychu ar y tatw a'r moron oedd mewn sachau agored o flaen y cownter pren mawr.

"Pnawn da i chi, a phererindod dda," croesawodd gŵr canol oed hwy o ymyl y drws wrth iddo osod y dorau pren i gadw.

"Pnawn da i chithau," atebodd Peter.

Roedd y siop yn foddfa o arogleuon bendigedig – surni y cownter caws helaeth, mwg ysgafn wrth y cownter cig oer ac, yng nghornel bellaf y siop, sebon ac amonia o ganol y poteli offer glanhau – a lliwiau'r tuniau a'r bocsys ar y silffoedd uchel yn enfys enfawr o'u cwmpas. Yn mwmial yn dawel yn gefndir i bopeth roedd y mynych oergelloedd yn y siop. Roedd y cownter pren henffasiwn yn wynebu'r drws, a merch ifanc fywiog yr olwg yn hel mymryn o lwch oddi ar ymyl y silffoedd y tu ôl iddi. Ar y dde roedd y cownter caws, a gyferbyn ag o, wrth ymyl y drws, y cownter cig oer, a'r gŵr canol oed wedi cymryd ei le y tu ôl i hwnnw bellach. Nid oedd Gabriela yn siŵr iawn beth i'w wneud, am fod siopa fel hyn yn beth hynod gyhoeddus, y gŵr canol oed yn rhwbio'i ddwylo'n frwdfrydig a'r ferch yn cadw un llygad ar y ddau, yn barod i gynnig ei gwasanaeth. Ysai Gabriela am i rywun arall gamu i mewn i'r byd lliwgar, tawel yma. Dechreuodd syllu ar y silffoedd llawn gyda manylder ysgolhaig – tuniau tomatos o'r Eidal, rhai eraill o Sbaen… ac o'r diwedd daeth hen wraig yn ei chwman i mewn drwy'r drws.

"Pnawn da, Gloria," meddai'r gŵr canol oed.

"Sut ydach chi, del?" holodd y ferch wrth y cownter.

"Pnawn da, Hernan, a dwi'n syndod o dda, diolch i ti am ofyn, Maria..."

Ac ymlaen â'r sgwrs am iechyd Gloria, am bobl y pentref, am ddiwrnod chwaraeon yr ysgol lle'r oedd wyrion a wyresau Gloria wedi gwneud mor dda.

"A ryw ddiwrnod mi fydd dy blantos ditha yna, Maria."

"Mae ganddon ni fargen dda ar fala cochion heddiw, Gloria."

Torrodd Hernan ar draws y sgwrs yn syfrdan o anghwrtais ym meddwl Gabriela, ond dyna ni, siopwr oedd o, eisiau gwerthu.

"Na, dim diolch, Hernan, ges i rai ddechrau'r wythnos... Lle'r aeth Maria? Dwi'n troi fy mhen ac mae'r bobl ifanc 'ma wedi diflannu."

"Be wnawn ni hefo nhw 'dwch? Ond os nad fala cochion melys, be ga i gynnig i chi heddiw?"

Ac aeth y busnes rhagddo.

Roedd Peter, yn y cyfamser, wedi casglu rhai manion i'w fasged, digon i swper i'r ddau ohonyn nhw. Syllodd Gabriela ar y potiau iogwrt ar y silff o'i blaen, ac ias oer yr oergell yn cripio tuag ati wrth iddi sefyll yn llonydd yno.

"Wyt ti isio iogwrt efo ffrwythau fel rhyw bwdin bach?" holodd Peter.

"Ia, dos di i chwilio am ffrwyth, mi ddewisa i'r iogwrt."

Cododd botyn mefus, ei ddal yn ei llaw a'i astudio, yna rhoddodd ef yn ôl ar y silff. Cododd un arall, un mafon, cyn gosod hwnnw yn ei ôl hefyd.

"Dyna dy ddrwg di, Gabriela, dwyt ti byth yn gwybod dy feddwl dy hun. Cymer fi, mi ddwedodd pawb wrtha i, pawb cofia, yn cynnwys y 'ffeiriad, 'Paid â bod mor hurt, fedri di byth fynd ar y bererindod... Fedri di byth fforddio mynd i Sbaen, heb sôn am gerdded saith can cilomedr... Gwell i ti aros adra a helpu dy fam... Ddaw dim lles o'r peth.' Ond be ddigwyddodd?"

"Mi fuoch chi'n gweithio chwe diwrnod yr wythnos o fore gwyn tan nos..."

"Tair swydd oedd gen i ar adegau: gwneud bwyd yn yr ysgol, glanhau tai pobl fawr a gweini yn y tŷ bwyta crand 'na ar gongl y sgwâr. Pum mlynedd gymerodd o..."

"Ia, dach chi wedi dweud."

"Paid ti â bod yn haerllug. Mi ges i nerth gan ein Harglwyddes ei hun. Bob dydd mi wnes i weddïo arni am ei help. Bob dydd a finna ar ddiffygio mi ges i hwb arall i orffen y gwaith."

"Wyt ti am ddewis 'ta wyt ti eisiau i fi ddewis?"

"Na, hwn, bricyll, a hwn, banana. Y ddau yma."

"Ga i gymryd y fasged gynnoch chi?" Roedd Maria yn ôl yn wên fawr i gyd. Ond doedd y wên ddim yn cuddio'r awgrym bychan o gochni yn ei llygaid.

"Rhannu'r gost?" holodd Gabriela.

"Os wyt ti'n mynnu."

A chyda cwdyn papur yr un yn llawn danteithion, ffarweliodd y ddau bererin â Maria a nodio ar Hernan yr ieuengaf, oedd yn dal i geisio dal pen rheswm â Gloria. Wrth y drws oedodd Gabriela am eiliad ac edrych yn ôl ar y siop amryliw. Syllodd ar Maria a gwenodd hithau arni, cyn i Gabriela droi a chamu allan i haul tanbaid y sgwâr, a sŵn dŵr y ffynnon yn byrlymu rhwng y muriau cyfyng. Dychwelodd y ddau i lawr y stryd yn cario'u danteithion ar gyfer swper, a dychwelodd Maria hithau i hel mymryn o lwch oddi ar ymylon y silffoedd a gwrando ar Hernan yn diddanu Gloria. Gwenodd ar berchennog y siop, gwên dawel, ddiolchgar.

Erbyn saith y noson honno roedd Peter yn brysur yng nghegin fach y *refugio*, yn ceisio plesio Gabriela â'i basta carbonara, ac roedd Gabriela wrth y bwrdd yn hanner darllen nofel ysgafn, tra mewn gwirionedd roedd hi'n mwynhau perfformiad tawel Peter wrth y stof. Gwenodd wên fodlon, braf. Roedd popeth yn gweithio fel y dychmygodd y cyfan – roedd y daith yma'n antur ac yn brofiad.

"Mae hi'n saith," cyhoeddodd Hernan wrth Maria.

"Mi wna i roi'r dorau heno," meddai hithau.

"Mi a' i drwy stoc yr oergell 'ta."

"Os nad ydi'r iogwrt yn rhy drwm i chi," meddai Maria yn bryfoclyd.

"Mi fydda i'n ofalus."

A chyda gofal a phwyll siopwr profiadol y gosododd Maria'r dorau ar y ffenestri y noson honno, a chyda manylder gweithiwr eisiau plesio yn ei swydd yr edrychodd Hernan ar ddyddiad pob un potyn iogwrt, a phob potel laeth a phob hanner pwys o fenyn. Roedd pob un yn iawn oni bai am ddau botyn iogwrt oedd i'w gwerthu heddiw.

"Hwda, dos â rhain i Anthea a Tomas, maen nhw wrth eu bodd efo iogwrt."

"Diolch, Hernan, fasa fo'n esgus da i'w gweld nhw eto heddiw. A diolch am..."

"Be ydan ni'n da os na fedrwn ni warchod ein gilydd, Maria bach? Bydd yn ofalus, mae'r ddau'n gollwng mymryn hefyd."

"Hen gadno dach chi, Hernan, yn cynnig rhywbeth am ddim am eu bod nhw'n gollwng!"

Chwarddodd Hernan, ac am y tro cyntaf erioed rhoddodd Maria gusan ysgafn ar ei foch. Am eiliad fach, safodd y ddau'n llonydd, fel petaen nhw'n sylweddoli rhywbeth. Yna rhoddodd Maria'r ddau botyn iogwrt mewn bag papur, ffarwelio ag ef, a ffwrdd â hi'n ysgafndroed i dŷ ei chwaer.

"Sut gwyddet ti mai bricyll oedd fy ffefryn i?" holodd Peter wrth grafu gwaelod y potyn iogwrt.

"Dawn y proffwyd, camp y gwyliedydd a gallu anhygoel meddwl merch o'r enw Gabriela." Chwarddodd.

"Gostyngeiddrwydd ydi nodwedd plant Mair, cofia di, Gabriela, paid â bod yn haerllug."

"Mair, mam yr Iesu, ein Harglwyddes, trugarha wrthyf," sibrydodd dan ei gwynt.

v. Rhedeg rhag y teirw

"Mi wnes i adael Zubiri cyn toriad gwawr. Mae'r hanes yn sôn am bobl y dref fel lladron, yn gwenwyno dŵr ceffylau'r teithwyr er mwyn dwyn oddi ar y pererinion. Yn fy ychydig oriau yn y dref fechan hon, prin y gwelais i leidr. Ni chefais ddim ond cwrteisi a chymwynasau rhyfeddol.

"Roedd hi'n gymharol hwyr y dydd arnaf yn cyrraedd, ac roedd Emporiwm Hernan ar fin cau. Ond er bod yr hen ŵr Hernan a'i fab o'r un enw yn gosod dorau ar y ffenestri fel roeddwn yn croesi'r bont hynafol, oedodd yr hen ŵr, fel petai ganddo ddigonedd o amser, a dechrau sgwrsio a holi. Roedd wedi'i syfrdanu i mi ddod yr holl ffordd o Frasil. Cefais brynu tamaid i'w fwyta ganddo, a hynny am bris gostyngol, ac fe roddodd glamp o afal coch i mi, yna cefais fy hebrwng yn barchus, ac yntau'n cario fy mhac, at y *refugio* swyddogol. Roedd arwydd ar y drws yn dweud ei fod yn llawn, ond nid oedd hynny'n ddigon i rwystro'r siopwr clên. Galwodd ar ofalwr y *refugio* a mynnu ei fod yn estyn gwely arall i'r pererin bach o Frasil. Gwnaeth yntau hynny'n llawen. Ac wrth groesi'r bont yn y lled dywyllwch fore trannoeth, cymerais un cip dros fy ysgwydd a gwenu wrth gofio croeso pobl Zubiri, a gweddïais weddi fechan: 'Mair, dyro dy fendith ar y dref. Mair fam yr Iesu, bendithia'u croeso. F'Arglwyddes annwyl, gwarchod Hernan a'i deulu a dyro iddynt dy fendith gyfoethog.'

"Wedi croesi'r bont roedd yn rhaid dringo gallt go serth at ddwy neu dair o ffermydd oedd fel ieir yn clwydo uwchben y dref. Ond wedi cyrraedd atynt, o'r siom! Mae'r ffordd yn dychwelyd i lawr yr allt a heibio'r gwaith magnesit, sydd fel petai'n fur ar draws y dyffryn cyfan. Mae ei sŵn yn chwyrnellu yn eich clustiau am hanner milltir a mwy, a'i lwch annymunol yn llenwi'r ysgyfaint."

Erbyn hanner awr wedi chwech fore trannoeth roedd y llety'n ferw byw. Roedd dau neu dri surbwch yr olwg yn sefyll yn rhes yn aros i gael mynd i ymolchi, tra bod dau dychrynllyd o siaradus yn mwynhau brecwast enfawr wrth y bwrdd pren yn y gegin. Bwriad un oedd cerdded deugain cilomedr yn ystod y dydd ac aros yn Estella, a'r llall â'i olygon ar prin ddeg cilomedr ar hugain, a chyrraedd Puente La Reina.

"Os dach chi isio clochdar, ewch i chwilio am domen," meddai Gabriela wrthi ei hun, wedi cyrlio yng nghornel ei sach gysgu. Roedd diogi cynnes, cyfforddus noson dda o gwsg wedi cau amdani, ac ni allai hyd yn oed ddychmygu gadael ei hafan fach.

"Bore da!" Ymddangosodd wyneb siriol Peter o'r gwely islaw.

"Bore da i chithau," atebodd hi'n gwbwl ddiegni.

"Oes gen ti fenthyg sebon? Dwi wedi'i adael o yn y llety ddoe."

"Be, wnest ti ddim molchi neithiwr?"

"Do, mi 'nes i ddefnyddio'r dispenser 'na yn y stafell gawod, ond mae o'n sebon drewllyd braidd."

"Wel, fedra i ddim cerdded efo chdi heddiw os wyt ti'n drewi."

"Dyna pam roeddwn i'n meddwl y basa gen ti sebon i mi."

"'Na i feddwl am y peth."

"A thra wyt ti'n meddwl, mi wna i helpu fy hun," meddai Peter gan estyn sach Gabriela o waelod ei gwely, a'i hagor.

Cododd Gabriela yn wyllt, ei llygaid fel fflamau, a chipio'r sach oddi arno.

"Na, wnei di ddim," meddai a min ar ei thafod.

Syllodd Peter yn rhyfedd arni.

"Sori, doeddwn i ddim yn meddwl..."

"Popeth yn iawn, dwi ddim isio pobl yn mynd trwy 'mhetha i..."

"Mae llygaid y ddynes 'na'n ddigon i losgi dau dwll yn fy nghefn i."

"Pwy, Mama?"

"Paid â sbio fel'na."

"Sori, Mama, ond pwy?"

"Gwraig y José 'na."

"Anti Martina."

"Paid byth â'i galw hi'n anti."

"Ond dyna be wnest ti ddweud wrtha i am 'i galw hi."

"Naddo, wnes i rioed y ffasiwn beth."

"Pam mae hi'n llosgi tyllau yn dy gefn di, Mama?"

"Busnesa mae hi, isio gwybod popeth bob munud. Isio gwybod oeddwn i'n talu yn y siop, isio gwybod ydw i'n mynd i ddyled."

A chan gydio'n rhy dynn yn ei llaw, llusgwyd Gabriela i lawr y stryd am adref, ei mam yn mwmial dan ei gwynt am Yncl José ac Anti Martina, a dwy goes fach ei merch yn carlamu mynd er mwyn cadw wrth ei hochr. Welodd ei mam hi neb ar ei ffordd – roedd ei hwyneb fel taran, a'r bag neges yn taro'i choes yn gyson wrth iddi fartsio.

"Paid â gadael i neb wybod ein busnes ni, ti'n clywed... ti'n clywed, Gabriela? Tynga ar enw'r Forwyn na fydd neb yn cael gwybod... Tynga."

"Hwda, dyma chdi sebon."

"Roeddwn i'n meddwl y basa gen ti beth sbâr."

"Pam?"

"Wel, dwi 'di sylwi, mae gen ti ddau fag molchi."

"Nag oes."

"Oes, dwi 'di gweld nhw, hwnna a'r un streipiau amryliw, fatha côt Joseff."

"Bag meddyginiaeth a ballu 'di hwnnw," meddai Gabriela yn siort.

"Sori."

“Jyst paid â busnesa.”

“Iawn, dim isio cynhyrfu.”

“Dydw i ddim. Reit, dos i molchi, i ni gael cychwyn.”

“Sori,” meddai eto, gan droi yn ei ôl wrth y drws a chri plentyn bach yn ei lygaid. “’Dan ni’n dal i ddallt ein gilydd, tydan?”

“Dos i molchi, neno’r Tad, ti’n drewi.”

“Ddim hanner cymaint â chdi.” Ac allan â Peter i fachu lle yn y ciw.

Cyn gynted â bod Peter allan o’r ystafell, tyrchodd Gabriela yn ddwfn yn ei bag gan symud y bag ymolchi amryliw yn ddwfn i grombil y sach. Gorweddodd yn ôl ar ei gwely a cheisio ailddarganfod y nefoedd fach gynnes oedd ganddi cynt. Tynnodd ei dau ben-glin yn agos at ei bronnau, ac am eiliad ceisiodd sugno’i bawd hyd yn oed, ond nid oedd dim yn tycio.

“Paid â sugno dy fawd, ti’n hogan fawr erbyn hyn.”

“Ond dwi’n gwneud dim drwg…”

“Paid â dadlau efo dy fam.”

Ochneidiodd Gabriela. Waeth iddi godi ddim. Gwisgodd yn null y pererin, yn y sach gysgu, ac yna llusgo ei hun allan yn teimlo braidd yn fudr er gwaetha’r dillad glân. Roedd yr ystafell ymolchi yn wag erbyn hyn, felly neidiodd i lawr o’i gwely a ’nelu am y drws.

“Bendithion codi’n hwyr,” meddai wrthi’i hun a chau’r drws y tu ôl iddi.

Roedd digon o ddanteithion o Emporiwm Hernan ar ôl i gael gwledd fach i frecwast. Yna dyma ddechrau cerdded, croesi’r bont, dringo’r allt, i lawr yr allt, heibio’r gwaith magnesit swnllyd, llychlyd, a’r llwybr yn crwydro tir anial a diffaith tomen wastraff y gwaith, ac ymlaen ar hyd y dyffryn. Roedd Peter yn cerdded wrth ei hochr, ond prin oedd y geiriau rhyngddynt – dau adyn yn cerdded ar wahân oedd y ddau. Blinodd Gabriela ar y tawelwch ar ôl rhyw ddwyawr neu dair o gerdded. Roedd hi angen rhywbeth i droi ei meddwl oddi wrth y poenau a deimlai ar wadnau ei dwy droed.

"Pam wyt ti'n cerdded y daith yma, Peter?"

"Chwilio ydw i."

"Chwilio am be, sebon?"

"Nage… ac yn sicr, fydda i ddim isio dy sebon di eto."

"Pam?"

"Dwi'n drewi o ogla rhosod pinc."

"Gwell na drewi o ogla chwys."

"Ydi, debyg…"

"Chwilio am be?"

"Ti'n disgwyl i mi ddweud chwilio am Dduw, debyg."

"Pwy 'di hwnnw pan mae o adra?"

"Mair, mam yr Iesu, gweddïa dros enaid fy merch. Rŵan, gofyn am faddeuant am dy gabledd."

"Mair, mam yr Iesu, trugarha wrthyf. Crist, trugarha wrthyf. Arglwydd, trugarha wrthyf."

"Be ti'n feddwl wrth hynny?"

"Dim byd, ebychiad y pererin blinedig falla," atebodd Gabriela.

"Ond rwyt ti ar bererindod, rhaid dy fod yn credu."

"Fatha ti felly."

"Ddeudis i ddim 'mod i'n chwilio am Dduw."

"Chwilio am bwy wyt ti 'ta? Chwilio am gariad efallai?"

"Na, na, paid â 'nghamddeall i."

"Tynnu coes… Dwyt ti ddim yn un da am weld hynny, wyt ti?"

"Ein gwendid cynhenid ni fel cenedl."

"Biti drostach chi. Chwilio am be wyt ti felly?"

"Taswn i'n medru dweud, dwi ddim yn meddwl y baswn i wedi dod."

"Grasusa, ti'n cerdded saith can cilomedr i chwilio am rywbeth nad wyt ti ddim yn gwybod be ydi o na lle mae o…"

"Ella fod o ddim yn gneud sens i ti, ond dwi 'di bod yn y coleg am dair blynedd yn gwneud gradd mewn Swoleg, dwi 'di ymchwilio am ddwy flynedd arall, a lle bynnag dwi'n edrych, i fanylion lleia'r bydysawd neu i entrychion yr awyr, mae 'na gwestiynau ymhob man. Ac mae Nhad… mae o wedi dweud a dweud bod ateb i bopeth dim ond i rywun chwilio'n ddigon dyfal."

"Mae pob athro ysgol gynradd yn credu bod ateb i bopeth."

"Ydyn, decini. Dyna 'di gwaith dy dad ditha?"

Fflachiodd llygaid Gabriela am yr eilwaith y diwrnod hwnnw, ond ni welodd Peter hynny.

"Mae o wedi marw," meddai.

"Mae'n ddrwg gen i."

"A finna."

"Ers pryd?"

"Ers pan oeddwn i'n chwech oed."

"Be ddigwyddodd?"

"Dwi ddim isio trafod y peth. Dysgu mae dy fam hefyd?"

"Ia, ysgol uwchradd."

"Roedd yn rhaid i ti wneud dy waith cartref felly."

"Gabriela, wyt ti wedi gwneud dy waith cartref?"

"Do, Mama."

"Ffwrdd â thi i'r ysgol rŵan 'ta… a chofia weddïo ar Fair."

Ac allan â hi i'r stryd lychlyd, ei ffrog gingham goch braidd yn fach iddi bellach, a'r llewys wedi mynd yn hynod frau, a sachell fach ledr ar ei chefn. Llusgodd ei thraed drwy'r llwch, gan fwynhau gweld ôl ei cherdded dioglyd yn ei dilyn. Wrth nesu at ddrws coch llachar, oedodd am eiliad. Gweddïodd yn dawel.

"Tyrd allan heb i mi guro. Mair, mam yr Iesu, gwna iddi ddod allan heb i mi guro."

Ond nid agorodd y drws. Oedodd Gabriela am eiliad neu ddwy i roi amser i'r Hollalluog ateb ei gweddi, cyn ochneidio ac estyn ar flaenau ei thraed i gyrraedd y dwrn curo pres trwm. Atseiniodd y gnoc ar hyd y stryd. Cyfarthodd rhyw gi diffaith mewn iard gefn yn rhywle. Agorodd y drws a llanwyd y gwagle gan gorff byrlymus o gnawdol mewn ffrog goch.

"Gabriela fach," meddai Anti Martina ar dop ei llais, gan lapio'i breichiau meddal am gorpws bregus Gabriela. "Sut wyt ti heddiw? A sut mae dy fam druan?"

"Iawn diolch," atebodd a'i hwyneb yn boddi yn y bronnau enfawr.

"Elena, mae Gabriela yn aros amdanat ti."

A dyma Elena, yn llond ei chroen lliw siocled godidog, yn llusgo'i hun tua'r drws.

"A be sy gen ti i ginio, Gabriela bach?"

"Dim ots, Mama!" achubodd Elena hi. "Tyd, Gabi."

A chyn i Martina allu rhedeg ei bysedd drwy ei gwallt, dihangodd Gabriela o grafangau ei modryb.

"Ti wedi gorffen dy waith cartre?" holodd Elena unwaith roedd y ddwy wedi gadael y tŷ.

"Do."

"Ga i gopïo fo gen ti amser cinio?"

"Cei siŵr."

"O, 'drychwch." Llais cras Miguel. "Gabriel ac Elena, yr angel a'r gasgen, ar y ffordd i'r ysgol."

"Cau dy geg, Miguel."

Roedd gan Elena fwy o asgwrn cefn.

"O, Elena yn flin y bore 'ma."

"Gad lonydd i ni."

"Pam?"

"Achos..."

"Ond mi ydw i'n llwglyd braidd."

"Na, chei di ddim."

"Na, cha i ddim be?"

"Fy nghinio i."

"O diar mi, mi wyt ti'n flin heddiw. Ys gwn i ydi Gabriela yn flin? Wyt ti'n flin, Gabi?"

"Nac ydw."

"Sut mae dy fam, Gabi?"

"Iawn diolch."

"Gad iddi."

"Paid â bod yn anghwrtais, Elena, mae Gabi wedi dysgu rhannu, yn dwyt ti, Gabi?"

"Nac ydw," mentrodd Gabriela mewn llais llywaeth.

"Be ddwedist ti?"

"Na, mi ddwedodd hi 'NA'."

"Fedra i ddim credu y byddai Gabi yn dweud dim byd fel'na wrtha i. Gabi, be ddwedist ti?"

"Nac ydw."

Crebachodd ei hwyneb yn donnau a llifodd ei dagrau wrth i Miguel lenwi ei ddwrn â'i gwallt a thynnu arno'n ffiaidd.

"Rŵan, Gabi, dwi'n llwglyd. Fasat ti'n lecio rhoi dy ginio i mi?"

"Gad iddi, y bwli."

Tynnodd Miguel yn galetach, a rhoes Gabriela sgrech.

"Paid, Elena."

"Ti'n clywed? Paid, Elena... Dydi Gabi ddim yn llwglyd heddiw, yn nag wyt, Gabi?"

"Nac ydw." A hithau ar ei gliniau ar y stryd erbyn hynny.

Ymhen hir a hwyr daeth muriau cadarn Pamplona i'r golwg, a cherddodd y ddau i gyfeiriad porth y ddinas. Wrth nesu teimlent eu hunain yn crebachu ochr yn ochr â'r muriau trwchus oedd yn gwyro drostynt. Roedd y llwybr at y porth yn serth a'r wyneb cerrig bron yn trywanu traed blinedig y naill a'r llall. Ond o leiaf roedd y muriau'n cynnig cysgod rhag gwres llethol canol dydd.

"Lle awn ni, *refugio* swyddogol?"

"Na, dylwn i fod wedi dweud wrthat ti, dwi'n bwriadu aros yma am ryw bedwar neu bum diwrnod."

"Aros? Ond taith ydi hon, Gabriela…"

"Pererindod ydi hon, Peter, a dwi am aros yma."

"Ymhle?"

"Lleiandy."

"Lleiandy?" Roedd 'na siom yn ei lais.

"Ie."

"Ond roeddwn i wedi meddwl…"

"Mae'n ddrwg gen i."

"Pa leiandy felly? Dwyt ti ddim wedi sôn o'r blaen."

"Un yn ymyl yr ysbyty."

"Fydd dy bererindod di ddim yn wir bererindod heb dreulio amser efo'r Chwiorydd. Mae'r tŷ gyferbyn â'r ysbyty. Roedd yn rhaid i mi aros, gan fod fy nhraed mewn cyflwr go ddrwg, ond rhaid i ti fynd yno i weithio efo nhw, fel tâl am iddyn nhw ofalu amdanaf i."

Roedd y bws yn hwyr heddiw. Damwain ar y briffordd oedd ar fai, a'r traffig ar stop am ddeng munud os nad chwarter awr. Diolchodd Javier iddo ddod â'i lyfr gydag o, neu byddai wedi bod yn flin ei fod yn gwastraffu amser. Roedd amser bellach yn brin, yn brin iawn. Oedodd y bws o flaen prif ddrysau'r ysbyty, hen adeilad concrid digymeriad.

Ochneidiodd wrth gamu o'r bws a'i lygaid yn crwydro wyneb dienaid yr adeilad. Roedd y darlithydd ynddo yn dadansoddi'r dylanwadau ar y pensaer, dylanwadau digon di-fflach, meddyliodd. Roedd y cyfan yn deillio o gyfnod y prinder arian mawr a'r gwirioni ar goncrid moel. Trodd ar ei sawdl a wynebu'r stryd o dai o'i flaen, adeiladau a godwyd rhyw ganrif a hanner yn ôl ag arian y bedwaredd ganrif ar bymtheg a hyder y cyfnod yn disgleirio drwy'r cerrig. Camodd gyda gofal yr academig ar draws y stryd ac anelu am un o'r tai gyferbyn. Canodd gloch fechan oedd yn hongian wrth ochr y drws du a hiraethai am lyfiad o baent. Oedodd yno, gan sefyll yn chwithig â llond ei ddwrn o flodau gwyllt. Roedd y bag lledr yn y llaw arall fel petai'n estyniad naturiol o'i wisg. Agorwyd y drws yn bwyllog, a safai lleian oedrannus mewn gwisg ddu ar y trothwy. Gwenodd wrth iddi adnabod Javier.

"Pnawn da iawn i chi," cyfarchodd ef hi.

Nid atebodd y lleian ef, dim ond camu 'nôl yn ofalus gan agor y drws led y pen yr un pryd. Roedd oerni'r tŷ'n gysur i ŵr ceidwadol ei wisg fel Javier – roedd hyd yn oed ychydig funudau dan belydrau'r haul wedi dechrau magu diferion chwys ar ei dalcen. Llanwyd ei ffroenau gan y cymysgedd rhyfeddaf o arogldarth melys, cyfoethog ac arogleuon cryf clorîn a *bleach*. Ar y chwith iddo roedd drws agored i gapel bychan, bychan y lleiandy, ag allor wedi'i goreuro'n drwm a'i gwasgu i'r fan lle byddai lle tân yr ystafell eistedd mewn oes a fu. O'i flaen roedd grisiau llydan o goed tywyll a chadair ddringo drydan wen yn meddiannu un ochr iddynt.

"Diolch," meddai Javier wrth ddringo'r grisiau.

Dychwelodd y lleian at ei gweddïau yn y capel.

Llanwodd Javier ei ysgyfaint wrth gamu tua chefn y tŷ, fel petai anadl drom yn ei baratoi ar gyfer yr oriau nesaf. Curodd y drws yn ysgafn a'i agor yr un pryd. Cododd lleian arall, llawer iau, Martha, o'i chadair wrth y gwely, fel petai ei ddyfodiad yn rhyddhad mawr iddi. Gwenodd arni, a gwenodd hithau'n ôl, ond heb ddweud gair. Cyffyrddodd Martha yn ysgafn ym mraich Javier, a bron na ellid gweld ei dagrau, yna llithrodd heibio iddo ac allan drwy'r drws. Nid oedd llygaid Javier wedi mentro crwydro at y gwely syml hyd yn hyn. Nid oedd am syllu ar y corff eiddil, corff oedd yn ddim mwy na chrych dan y cynfasau claerwyn. Gosododd ei fag lledr wrth ochr y gadair, ac yna, fel petai newydd gofio amdanynt, syllodd ar y blodau gwyllt oedd yn ei law. Cydiodd yn y swp blodau oedd yn crino ar y bwrdd wrth ochr y ffenestr a gosod y blodau newydd yn y fâs wydr yn eu lle, ac yna'n dawel fach taflu'r hen swp i fîn dur wrth y drws. Ochneidiodd yn dawel wrth ddychwelyd at erchwyn y gwely a chodi'r llun oedd mewn lle o anrhydedd yno, llun ohono ef a Cara a chadeirlan liwgar Sant Basil yn Moscow y tu ôl iddynt.

"Tyrd, yn lle syllu fel llo..."

"Ond 'drycha ar y dômau yna..."

"'Mond pen nionyn. Mae 'na dŵr pen nionyn ar yr eglwys adra."

"Ond edrych ar eu maint nhw."

"Dim ond am 'u bod nhw'n lliwiau llachar. Ti fel plentyn bach yn cael ei hudo gan y losin."

"Dwi'n ddarlithydd mewn pensaernïaeth, Madam."

"O, mae'n ddrwg gen i, a minna'n meddwl eich bod chi yn Moscow fel twrist."

"Dim o gwbwl, Madam. Yma ar ysgoloriaeth, yn gymrawd gwadd, i chi gael gwybod."

"Ac ydi hynny yn swydd bwysig felly?"

"Pwysig dros ben."

"A ble ydach chi'n aros felly, gymrawd anrhydeddus? Ydach chi'n aros yn un o balasau godidog cyfnod y Tsar?"

"Y Tsar, Madam? Y Tsar? Rydan ni mewn gweriniaeth lle nad oes angen pensaernïaeth oreurog er mwyn dangos anrhydedd."

"Felly rydach chi'n aros mewn palas Sofietaidd?"

"Mae holl adeiladau'r Sofiet yn balasau. Stafell betryal berffaith, dwy ffenestr betryal a phorth cadarn, mewn coridor godidog chwarter cilomedr o hyd."

"A'r oerni llethol..."
"Yn llesol i'r corff."
"A'r tap dŵr sy'n diferu yn y gornel..."
"Yn lles i amynedd dyn."

"Roedden nhw'n ddyddia da, Javier."

Trodd Javier at y gwely ac edrych am y tro cyntaf y pnawn hwnnw yn llygaid gleision Cara.

"Dyddia da iawn, Cara."

Roedd o bellach yn ymladd yn erbyn ei ddagrau.

"Gest ti fore da?"

"Do, dwy ddarlith efo myfyrwyr yn hanner cysgu."

"Ti oedd yn mynnu cael darlith naw."

"Mae gan ddyn hawl i amau ei ddoethineb ei hun weithiau."

"Yn dy achos di, does gen ti ddim dewis..." chwarddodd Cara, ond wrth wneud hynny dechreuodd beswch yn anghyfforddus.

Cydiodd Javier yn ei braich, fel petai'n cynnig mymryn o'i egni ei hun er mwyn iddi beswch. Estynnodd ddysgl ddur oddi ar y bwrdd a hances bapur wrth i Cara geisio cael gwared ar ei phoer.

"Falla na ddyla rhywun yn eich cyflwr chi wneud jôcs am ben pobl eraill, Madam."

"Mae gwirionedd yn mynnu cael ei ddatgan, gyfaill hoff."

Gwenodd Javier. Doedd Cara ddim wedi colli dim ar ei choegni direidus, ac er nad oedd ei chorff yn ddim ond croen ac esgyrn bellach, roedd ei llygaid yn ffenestri gloyw i mewn i'r direidi hwnnw.

"A waeth i ti heb ag edrych arnaf fi fel yna..."

"Be wyt ti'n feddwl?"

"Does 'na ddim lle i ddau yn y gwely yma."

"Dwyt ti ddim yn cymryd lot o le."

“Aaaha… Roeddwn i’n iawn, dyna oedd ar dy feddwl di… Rhag cywilydd i ti a thithau’n ddyn yn dy oed a dy amser.”

Cydiodd Javier yn ei llaw a’i gwasgu’n dyner. Roedd y gêm drosodd am funud, a’r ddau’n fud. Eisteddodd ef wrth y gwely, a throdd Cara ei phen yn araf tuag ato a gwenu.

“Gwylia!” gwaeddodd Peter wrth i Gabriela neidio oddi ar y palmant a sgwter bychan yn gwibio i’w chyfeiriad.

Canodd y teithiwr gorn gwantan ei sgwter a thaflu rheg i’w chyfeiriad.

“Be haru ti? Welist ti mo’no fo?” holodd Peter.

“Do siŵr, roeddwn i’n rhedeg rhag tarw dur, rhywbeth i gyflymu’r galon.” Taflodd Gabriela y geiriau dros ei hysgwydd yn ddidaro.

“Dwi’n gwybod mai hon ydi un o strydoedd ras y teirw, ond…”

“Ffansi ei dilyn hi at y lle ymladd teirw?”

“Mae ’nhraed i’n brifo.”

“Yr hen gadach i ti. Tyrd, ’mond rhyw hanner cilomedr ydi o,” a ffwrdd â hi ar hyd y stryd hir, y cerrig anwastad yn anodd cerdded arnynt a’r muriau trymion, tywyll yn cau amdanynt.

Ochneidiodd Peter. Roedd bod efo Gabriela yn wefr ac yn boen yr un pryd – roedd o eisiau ei chofleidio ond eisiau rhedeg rhagddi hefyd. Dilynodd hi, ac wyneb y ffordd arw fel petai’n benderfynol o greu poen. Roedd tyrfa fawr wedi ymgynnull tu allan i ddrws bychan tywyll hanner ffordd i lawr y stryd, a cheisiodd ddyfalu beth oedd yr atyniad, dim ond er mwyn anghofio’r boen yng ngwadnau ei draed. Wrth glosio at y dyrfa gwelodd faner Gwlad y Basg wedi’i thaflu dros ysgwydd ambell un, ac roedd gwydrau yn llaw pawb. Dechreuodd pobl ganu, a’r gân yn swnio fel cân werin, ond ni allai Peter ddeall yr un gair. Erbyn hyn gwelai fod arwydd bychan uwchben y drws tywyll, ac mae'n amlwg mai tafarn Fasgaidd oedd yno. Roedd y dyrfa'n denu Gabriela tuag atynt hefyd, ac roedd hi'n torri llwybr i gyfeiriad y drws. Nid oedd wedi hyd yn oed cymryd cip bach yn ôl ar Peter i weld a oedd o'n ei dilyn, ond ei dilyn hi roedd o – ni allai wneud dim amgen. Yna, fel petai'n synhwyro ei deimladau, trodd ei phen, a'i llygaid duon yn pefrio'n bryfoclyd tuag ato, yn ei wahodd gyda hi drwy'r dyrfa. Teimlodd Peter ei galon yn cynhesu drwyddi. Roedd un edrychiad yn troi ei deimladau'n slwtsh.

Gwasgodd y ddau i mewn i'r dafarn fechan orlawn, ac roedd eu pecynnau mawrion yn peri i'r bobl lawen oedd wedi ymgasglu yno eu croesawu a gwneud lle iddynt yn hytrach na thwt-twtio pobl yn cario'r fath becynnau i le mor gyfyng. Cododd haid o bobl eu gwydrau i'r pererinion, ac ambell un yn holi o ble roeddent wedi cerdded, a chodwyd haid o wydrau eto i'r ddau a gerddodd o Zubiri. Codwyd gwydrau i Zubiri hefyd, ac yna dechreuodd rhywun ganu cân werin arall oedd yn cyfeirio'n helaeth at Zubiri. Ac yno yn y dafarn fechan bygddu y bu'r ddau, Peter a'i lygaid yn chwilio'n gyson am lygaid hudolus Gabriela, a'r llygaid rheini'n wên i gyd wrth iddi wirioni ar y cwmni o'i chwmpas.

"Pam mae gynnoch chi lun o bobl yn rhedeg o flaen teirw, Mama?" gofynnodd wrth weld ei mam yn bodio cynnwys yr hen focs sgidiau a gadwai ar ben y wardrob.

"Pobl wirion ydyn nhw, Gabriela bach."

"Ond pam bo chi isio llun o bobl wirion?"

"Cerdyn post ydi o, yr unig lun y medrwn i gael o'r lle."

"Lle ydi o, Mama?"

"Pamplona, tre fawr lle mae pobl wirion yn gwylltio teirw ac yna'n rhedeg o'u blaena ar hyd y stryd."

"Ga i fynd i Pimplona...?"

"Pamplona, yr hogan wirion. Dim ond unwaith y flwyddyn mae

o'n digwydd. Ond pan ei di yno, dos di i aros efo'r Chwiorydd. Yno bues i am wythnos gyfan."

Syllodd ei mam yn fud ar y cerdyn post, ac yno y bu hi am oriau y diwrnod hwnnw, yn eistedd ar ei gwely, y bocs sgidiau treuliedig wrth ei hochr a'r cerdyn post o redeg y teirw ar gledr ei llaw. Eisteddodd Gabriela yno gyda hi. Syllodd ar y cerdyn yn llaw ei mam. Roedd hi yno gyda'r dynion yn eu crysau gwynion a'u crafats coch, a'r teirw'n rhuthro tuag ati. Curai ei chalon fel gordd, ond nid ofn a deimlai ond gwefr ryfedd. Gallai glywed y teirw'n chwythu, eu carnau'n clecian ar y cerrig, eu cegau'n diferu glafoerion a'i chalon yn curo'n gyflymach wrth iddi weld ei hun yn neidio o'u ffordd. Roedd o'n bnawn lle roedd ei holl gorff yn gynnwrf byw. Nid oedd Gabriela yn rhy sicr pryd, ond dechreuodd y dagrau lifo'n araf i lawr dwyfoch ei mam. Ni chododd ei llaw i sychu 'run deigryn. Llifodd y cyfan i lawr a diferu ar y cerdyn post ac ar luniau'r dynion ifainc. Canodd cloch yr eglwys ar gyfer offeren yr hwyr, ond ni chododd ei mam ei phen hyd yn oed.

"Mama..."

Ni ddaeth ateb.

"Mama? Dach chi'n iawn, Mama?"

Dim ond dagrau mud. Closiodd Gabriela'n dynn ati. Gosododd ei llaw dan law oer ei mam. Ar hynny, cododd ei mam ei phen a throi i edrych arni, ei llygaid ymhell, bell.

"Mama?"

"Be, Gabriela? Be sy'n bod?"

"Doeddech chi ddim yn ateb."

"Paid â siarad mor hurt, be haru ti? Rŵan tyrd, neu mi fyddwn ni'n hwyr i'r offeren."

A'r noson honno, wrth i'r offeiriad, a Mair Forwyn yn syllu dros ei ysgwydd, ei bendithio wrth yr allor fawr, syllodd llygaid llwyd yr offeiriad yn ddwfn i'w henaid.

"Arglwydd, trugarha. Crist, trugarha. Arglwydd, trugarha."

"Mair, cofia dy ferch, gwena arni a gweddïa ar dy Fab drosti."

"Amen."

A theimlodd Gabriela ias oer yn cydio yn ei gwar, a threiddiodd tamprwydd yr eglwys yn ddwfn i'w hesgyrn.

"Dwi am godi i'r gadair heddiw."

"Fedri di, Cara?" Roedd yna bryder yn llais Javier.

"Paid â gofyn cwestiynau twp..." a chyda chryn ymdrech gwthiodd y dillad gwely yn ôl â'i braich fregus. "Rŵan, cod oddi ar dy din a thyrd â'r gadair 'na'n nes... Gwna rywbeth am dy ginio."

Cododd Javier ei chorff eiddil yn ei freichiau, a'i gosod yn dyner yn y gadair.

"Diolch byth nad oedd 'na risiau neu mi faswn i'n swp ar lawr."

"Dim isio edliw hynny eto, yn nag oes?"

"Be 'di gwerth stori os na cha i ei hedliw hi i ti?"

"Dweud wrtha i, Cara Garcia, pam bo fi'n dy garu di."

"Am fy nghorff siapus, siŵr iawn... hen ddyn budur ag wyt ti."

Chwarddodd y ddau, a'r haul yn tywynnu drwy'r ffenestr hir.

Canodd cloch y lleiandy unwaith eto. Roedd hi wedi bod yn ddiwrnod prysur a gweddïau'r Chwaer Emilia wedi bod yn bytiog iawn, iawn. Ochneidiodd wrth iddi godi oddi ar ei gliniau unwaith yn rhagor a llusgo ei chorff gwynegog tua'r drws. Rhoddodd dro yn y dwrn a llifodd yr heulwen lachar i'w llygaid bregus. Oedodd am eiliad wrth i'w llygaid gynefino â'r golau. Roedd merch ifanc gwallt tywyll yn sefyll ar y trothwy a sach gerdded enfawr ar ei chefn.

"Mae'r *refugio* yng nghanol y ddinas," meddai yn llawer iawn mwy chwyrn nag y dymunodd.

"Mae'n ddrwg gen i," atebodd y ferch, "nid chwilio am y *refugio* ydw i."

"Maddeuwch i mi, ond roeddwn i'n tybio mai pererin oeddech chi."

"Ia, pererin, ond..."

Ac eglurodd y ferch ei bod yn dilyn llwybr pererindod ei mam a'i bod hithau wedi bod yn aros yn y lleiandy oherwydd bod ei thraed mewn cyflwr drwg. Nid oedd y Chwaer Emilia yn cofio'r ferch o Frasil, er ei bod hi yn y lleiandy bryd hynny, ac wedi bod yno ers dros ddeugain mlynedd bellach. Roedd cymaint o bobl yn mynd a dod, a chymaint o enethod ifanc wedi treulio ychydig ddyddiau efo nhw, cyn sylweddoli nad oedd y bywyd tawel, gweddïgar yn eu bodloni. Fel arfer ni fyddai lle i'r ferch yma, ond roedd rhyw ymbil yn ei llygaid tywyll na allai Emilia ei wrthod, a dyna sut y croesawyd Gabriela i'r lleiandy. Dim ond wedi iddi gytuno i roi lle iddi y sylweddolodd Emilia fod oglau diod arni, a phenderfynodd beidio cydnabod hynny wrth neb arall. Byddai'r Abes yn debygol o'i gwahardd rhag dyletswyddau'r drws os gwnâi, a byddai hynny'n ormod iddi.

Arweiniodd y ferch heibio drws y capel, a thrwy gil ei llygaid gwelodd hi'n plygu pen ac ymgroesi wrth gymryd cip drwy'r drws agored. Aeth â hi i ben grisiau'r seler, ac yna'n araf, a phob cam yn saethu poen drwy ei chlun, arweiniodd y ferch i lawr i berfeddion tywyll y tŷ. Roedd y nenfwd yn isel, yn fwa o frics wedi'u gwyngalchu, a'r tamprwydd wedi codi swigod annymunol yn y paent. Nid oedd yr arogldarth yn gallu treiddio i lawr i'r pellafoedd hyn ac ni allai gystadlu â'r arogl sur, trwm a ddeuai tuag atynt. Llechai pry cop yng nghysgod ffrâm y drws, a hwnnw'n ffoi o'r golau, gan adael ei we lwydaidd i lenwi'r gornel. Ymhen hir a hwyr cyrhaeddodd y Chwaer Emilia waelod y grisiau ac, ar ei gwaethaf, ochneidiodd ochenaid hir a dwfn.

"Ydach chi'n iawn?" holodd Gabriela.

"Ydw, 'mach i, ydw siŵr. Y cricmala 'ma, dyna'r cwbwl, mae'r grisiau'n lladdfa. Dyma ti," ychwanegodd, "fawr o stafell ond mae hi'n lân, ac mae gen ti le i roi dy ben i lawr."

"Diolch."

Camodd Gabriela i mewn i ystafell fechan, digon o le i wely sengl, cadair bren a chist fechan. Ar y chwith roedd ffenestr uchel a daflai'r mymryn lleiaf o olau i lawr o'r stryd uwchben.

"Be hoffech chi i mi wneud tra 'mod i'n aros yma?"

"Digon o amser i feddwl am hynny eto – gweddïau ymhen ychydig dros awr, a swper tua hanner awr wedi chwech."

Caeodd y Chwaer Emilia ddrws y gell y tu ôl iddi a chodi ei llygaid tua'r grisiau serth. Roedd ei chlun yn cwyno cyn iddi hyd yn oed roi cam ar y gris isaf. Cydiodd yn dynn yn y canllaw ar y chwith a thynnu ei hun yn llythrennol bron i'r gris cyntaf. Brathodd ei gwefus isaf wrth iddi lusgo'i hun i'r ail ris.

"Pam na wnest ti gytuno i'r glun newydd, y jolpan wirion?" sibrydodd dan ei gwynt.

Roedd hi'n llusgo'i hun i ben y seithfed gris pan sylwodd hi ar y gwe pry cop a lechai yng nghornel ffrâm y drws ym mhen y grisiau. Roedd hi'n casáu gweld y lle'n cael ei lanhau mor wael. Doedd y Martha fach 'na ddim yn drylwyr mewn unrhyw ffordd, dim byd tebyg i'r ffordd y cafodd hi ei magu. Boed i Mair Fendigaid faddau iddi am fod mor feirniadol o'i chwaer, ond doedd o ddim heb reswm. Felly, wrth gyrraedd y gris uchaf dyma estyn ei hances o ddyfnder ei gwisg ac wrth iddi lusgo'i choes i ben y gris, ymestynnodd yr un pryd at y we bechadurus a'i dal yn ei hances. Ond wrth iddi wneud hynny gwelodd y corryn yn dawnsio'i ffordd heibio'i hances cyn diflannu i dywyllwch y gilfach rhwng y ffrâm a'r wal.

"Damia ti," meddai'n uchel, a dyna pryd y llithrodd ei throed ar y gris. Arafodd amser. Gwelodd ei llaw'n estyn allan yn araf, araf am y canllaw, ond dim ond ei hewinedd a gyffyrddodd â'r pren. Rhwygodd y pren drwy'r ewinedd er eu trwch a theimlodd y Chwaer Emilia y boen yn rhwygo drwy flaenau ei bysedd.

Roedd hi'n syrthio bellach, ei chefn wedi'i blygu at yn ôl a phoen yn saethu o'i chlun, a chrafangau uffern yn ei thynnu tua gwaelod y grisiau. Mewn un ymdrech arall ceisiodd gydio yn y canllaw arall. Methodd gael gafael gadarn ond fe'i taflodd ei hun ddigon i droi'r codwm tua'r wal gyferbyn. Trawodd ei chlun boenus yn erbyn y gwaith brics a gwaeddodd yn uchel mewn poen wrth iddi lanio ar un lin ar y trydydd neu'r pedwerydd gris. Gydag ergyd drom a yrrodd saethau o boen ar hyd ei chefn i'w gwegil, daeth ei chodwm i ben a hithau ar ei glin arall ar yr ail ris, ei llaw waedlyd yn cydio fel gelen yn y canllaw.

"Chwaer Emilia, ydach chi'n iawn?"

Y ferch ifanc gwallt du, Gabriela, oedd wedi gwibio allan drwy ddrws ei chell.

"Dwi wedi bod yn well," oedd ateb swta'r Chwaer Emilia, a chwarddodd yn ysgafn, yn bennaf er mwyn ceisio anghofio'r boen a gurai fel gordd drwy ei chlun.

"Be ar y ddaear ydi'r holl sŵn 'ma? Tŷ gweddi a thŷ gofal ydi hwn... Y nefoedd fawr, Emilia, dach chi'n iawn?" Llais yr Abes oedd ym mhen y grisiau.

"Mae hi wedi syrthio... Mae hi wedi brifo'n arw..." atebodd merch ifanc gwallt du o waelod y grisiau.

Ni chlywodd Javier na Cara ddim o'r sŵn na'r helynt gan eu bod wedi'u cau mewn byd bach cyflawn, a chonsierto i'r harpsicord yn llenwi'r ystafell. Byd trefnus, taclus oedd eu byd a thangnefedd yn teyrnasu am y prynhawn. Roedd Cara yn ei chadair a diferion gwres olaf y dydd yn gynnes ar ei glin, a Javier mewn cadair arall wrth ei hochr yn darllen iddi. Bob hyn a hyn byddai Cara yn estyn ei llaw a rhedeg ei bysedd drwy'r blew ar ei fraich; byddai yntau'n oedi am eiliad, yn troi ati, yn gosod cusan ysgafn ar ei boch, neu dro arall yn cydio'n dyner yn ei bysedd main, yn syllu yn ei llygaid, cyn ailgydio yn y gyfrol. Ni fyddai unrhyw un yn galw heibio, ni fyddai neb yn torri ar eu horiau gwerthfawr, ac am ychydig byddai'r ddau'n gadael i gariad y naill tuag at y llall fwytho'i gilydd. Nid oedd sôn am driniaeth nac am ofnau; dim ond gofal a thynerwch gâi ddod dros y trothwy.

Roedd hi'n dechrau tywyllu pan dybiodd Javier fod rhywbeth yn rhyfedd gan nad oedd y Chwaer Martha wedi dychwelyd â thamaid o swper i Cara. Doedd Martha ddim y fwyaf prydlon na'r fwyaf manwl, er ei hanwyldeb, ac roedd hynny'n blino Javier braidd.

"Cara, wyt ti wedi gweld y rhestr wnes i ddoe?"

"Yn y bin."

"Be?"

"Dyna lle gwelis i dy restr di ddiwetha."

"Yn y bin?"

"Ia, yn ddarna mân. 'Dan ni ddim angen rhestr, Javier. Mae 'na un neu ddau o betha isio'u gwneud, ond os oes 'na un neu ddau heb eu gwneud, fydd y byd ddim yn dod i ben."

"Cara, ti'n gwybod na fedra i ddim meddwl fel yna."

"Sut?"

"Fel ti, mae'n rhaid i mi gael trefn."

"Trefn yn iawn, ond mae'r blydi rhestr 'na fel barn uwch ein penna ni, felly mi benderfynais i na fedrwn i feddwl yn nhrefn y rhestr, yn union fel rwyt ti'n methu meddwl hebddi."

"Oes rhaid i ti fod mor blentynnaidd?"

"Os mai plentynnaidd ydi o, oes. Oes rhaid i ti fod mor ddeddfol?"

"Trefnus, ac mi rwyt ti'n blydi styfnig."

"Olreit, beth am gyfaddawd...?"

"Dwyt ti ddim yn medru cyfaddawdu."

"Pwy sy'n methu cyfaddawdu?"

"Ti! Mae'n rhaid i ti gydnabod, Cara, ti'n rhy benderfynol a styfnig i gyfaddawdu, ti rioed wedi cynnig cyfaddawdu."

"Reit 'ta, os mai fel yna ti'n fy ngweld i, mae'r sguthan styfnig yma'n mynd."

"I ble wyt ti...?"

Ac allan â hi, côt fechan yn ei llaw. Safodd Javier yn fud yng nghanol yr ystafell. Tybiai y byddai hi'n siŵr o fod yn ôl ymhen rhyw awr neu ddwy, pan fyddai hi wedi gweld sens. Ffurfiodd restr newydd, a dechrau gweithio trwyddi fel na phetai dim wedi digwydd. Ond ni ddychwelodd Cara. Roedd hi'n dechrau tywyllu erbyn hyn, a throes y gŵr trefnus yn ddyn gwyllt, yn neidio at y ffenestr o glywed unrhyw smic y tu allan. Fe ffoniodd rai o'i ffrindiau, ond nid oedd sôn amdani – ei unig gysur oedd nad oedd ateb yn nhŷ Jasmine, ond roedd honno mor chwit-chwat fel mai prin y byddai hi'n ateb y ffôn beth bynnag. Meddyliodd am ffonio ei rhieni, ond doedd o ddim eisiau achosi pryder iddyn nhw. Byddai ffonio'r heddlu wedi bod yn adwaith rhy gryf. Felly aeth drwy'r pethau y gallai Cara fod wedi'u gwneud unwaith eto. Doedd Jasmine dal ddim yn ateb ei ffôn. Bu'n stelcian tu allan i dŷ rhieni Cara am sbel, rhag ofn y gallai weld cip ohoni yno, ond ofer oedd y cyfan. Dau ddiwrnod y parodd ei hunllef. Roedd wedi troedio holl ystafelloedd y fflat, wedi agor ei llyfrau, bodio ei chylchgronau, arogli ei dillad, a'i hanwesu yn ei feddwl... Roedd ei fyd yn deilchion heb Cara, a doedd 'run rhestr a allai ei drwsio...

Ers y salwch, ac ers iddi symud i'r lleiandy, roedd o wedi agor yr un llyfrau, bodio'r un cylchgronau ac arogli'r un dillad, ond roedd yr hunlle hon yn mynd i bara mwy na deuddydd. Roedd yr hunlle'n ailadrodd ei hun drosodd a throsodd yn ei feddwl. Roedd hi'n pendwmpian yn y gadair wrth ei ochr, ei hanadl mor ysgafn fel mai prin y symudai, ei llaw welw bron yn diflannu ar fraich y gadair ddi-liw, yr egni byrlymus oedd wedi'i ddenu ati wedi'i sugno o fêr ei henaid. Gallai deimlo dagrau'n cronni yn nyfnder ei fod, a dyna pryd y clywodd y curo ysgafnaf erioed ar ddrws yr ystafell. Ond ni ddaeth neb i mewn. Tybiodd mai dychmygu'r peth a wnaeth. Ond daeth tair cnoc fach arall. Cododd yn dawel fach.

"I ble rwyt ti'n dianc?"

"Ateb y drws ydw i."

"Ateb y drws?"

"Ie, mae 'na rywun yn curo a doeddwn i ddim isio dy ddeffro di."

"Job go sâl wnest ti ynte?"

"Ie."

Agorodd y drws ac roedd merch ifanc, ei gwallt yn llachar ddu a'r llygaid tywyllaf a welsai erioed, yn sefyll yno.

"Esgusodwch fi, Gabriela ydw i. Dwi newydd gyrraedd yma fel gwirfoddolwraig oherwydd bod y Chwaer Emilia wedi syrthio, felly mae'r Chwaer Martha wedi gorfod mynd gyda hi i'r ysbyty, ac maen nhw wedi gofyn i mi ddod â swper i Cara..."

"Ydi'r Chwaer Emilia yn iawn?" gofynnodd Cara.

"'Dan ni ddim yn siŵr," atebodd Gabriela. "Mi syrthiodd hi lawr y grisiau, a 'dan ni'n meddwl efallai ei bod hi wedi torri ei chlun."

"Be ddigwyddodd?"

"Llithro ar ben grisiau'r seler, ond mi achubodd ei hun rhag syrthio yr holl ffordd, diolch i'n Harglwyddes."

"Javier, dwed rywbeth neu symud er mwyn i Gabriela ddod i mewn. Wyt ti am i mi lwgu?"

"Sori." Deffrodd yntau fel pe bai o berlewyg a chamu'n ôl gan agor y drws led y pen.

Dyna pryd y gwelodd Cara Gabriela am y tro cyntaf. Cyfarfu eu llygaid, a rywsut roedd y ddwy'n adnabod ei gilydd, a rhyw linyn arian yn eu clymu ynghyd. Gabriela fu cwmni Cara wedyn am y deuddydd nesaf, pan na fyddai Javier yno. Hi oedd yn ei deffro yn y bore, yn ei golchi'n ofalus, yn ei helpu adeg prydau bwyd ac yn ei thywys fesul cam i'r tŷ bach. Daeth y ddwy i fwynhau chwerthin gyda'i gilydd, a phan gyrhaeddai Javier o'r coleg teimlai ar adegau ei fod yn ymyrryd yn y berthynas oedd wedi tyfu rhwng y ddwy mewn cyfnod mor fyr. Cenfigennai fod Gabriela yn treulio cymaint o amser prin yng nghwmni Cara, pan oedd amgylchiadau, a Cara ei hun, yn ei orfodi ef i fod yn y gwaith.

Dridiau wedi'r cyfarfod cyntaf roedd gan Gabriela brynhawn rhydd, gan fod Javier yn eistedd gyda Cara. Penderfynodd gerdded i ganol y ddinas a dod i adnabod y lle. Bu'n cerdded y muriau, yn ymweld â'r eglwys gadeiriol, adeilad oedd yn iasoer hyd yn oed dan haul canol dydd, yna penderfynodd eistedd ar y sgwâr yn yfed paned o goffi. Dewisodd ei chaffi'n ofalus, un oedd yng nghanol y bwrlwm ond yn cynnig cysgod yr un pryd. Roedd wedi prynu papur lleol ac edrychai ymlaen at bnawn hamddenol.

"Be fedra i gael i chi, Madam?"

"Coffi du… Peter, be ddiawl wyt ti'n neud yma?"

"Mae cwmni da ar bererindod yn beth anodd i'w gael, felly mi ges i job."

"Ond beth am y bererindod?"

"Mi fedra i, fel tithau, barhau ar honno ymhen rhyw ddeuddydd neu dri."

"Wyt ti'n 'y nilyn i?"

"Nac ydw, ti sy'n fy nilyn i."

"Be wyt ti'n feddwl?"

"Wel, mae 'na ddega o gaffis i'w cael yn y ddinas, cannoedd efallai, mae… faint, chwech, wyth hyd yn oed, ar y sgwâr yma, ond fe ddaeth Madam ac eistedd wrth fwrdd yn fy nghaffi i. Felly, yn y cyd-destun yma, chi sy'n fy nilyn i ac mae croeso i chi wneud hynny, wrth gwrs."

"Wrth gwrs, dwi ddim yn amau hynny o gwbwl. A ble mae ffŵl fel ti'n aros?"

"Madam, rydach chi newydd gydnabod eich bod chi'n fy nilyn i. Mi allech chi fod yn stelciwr ac yn llofrudd heb i mi amau dim, a rŵan rydach chi eisiau gwybod lle rydw i'n aros. A'r cwbwl ydw i wedi'i wneud yw gofyn ydach chi eisiau coffi."

"Ymddiheuriadau, ŵr bonheddig caredig, mae chwilfrydedd yn feistres galed."

"Eich ymddiheuriad wedi'i dderbyn, ac yn awr, coffi du poeth... a rhywbeth bach melys gyda'r coffi chwerw?"

"Byddai teisen almon yn dda."

"Dewis ardderchog, Madam, ac i ateb eich cwestiwn hynod bersonol a digywilydd, mae gen i stafell fechan ym mhen uchaf y gwesty sydd uwchben y caffi, â golygfeydd godidog yn ôl tua Roncesvalles."

"Hyfryd yn wir."

Dychwelodd Peter i'r gegin yn ysgafndroed – roedd popeth yn dda yn ei fyd, y cynllun penchwiban a gawsai wedi gweithio. Agorodd Gabriela ei phapur, gan fwynhau gwres hyfryd y dydd yng nghysgod y parasol gwyn uwchben y bwrdd. Nid oedd wedi darllen prif bennawd y papur tan yn awr. 'Merch o Zubiri wedi'i dal ar gyhuddiad o lofruddiaeth.' Doedd penawdau papurau lleol byth yn wych iawn, meddyliodd. Yn ôl yr erthygl roedd y ferch yma wedi gwenwyno plant ei chwaer, a hithau'n gwadu'r cyhuddiad, wrth gwrs. Roedd hi'n ymddangos nad oedd hi'n gallu cael plant ei hunan, a'r dybiaeth oedd ei bod yn methu dygymod â'r ffaith fod ei chwaer wedi cael dau o blant. Felly roedd hi wedi gwenwyno'r ddau blentyn mewn gweithred gwbwl hunanol.

"Dyma ni." Llais Peter yn dychwelyd â'r baned a'r deisen almon.

"Da o beth ein bod ni wedi gadael Zubiri," meddai Gabriela gan bwyntio at y papur.

"O ia, y llofrudd plant. Mae pawb yn sôn am hon," meddai

yntau gan godi'r papur. "Sut berson fyddai'n medru gwneud rhywbeth fel'na? Mae'n rhaid ei bod hi'n sâl ei meddwl neu… Aros am eiliad, be oedd enw'r siop?"

"Pa siop?"

"Y siop lle buon ni'n prynu bwyd a ballu. Honno oedd ddim yn agor tan yn hwyr yn y pnawn."

"Emporiwm rhywbeth neu'i gilydd…"

"Emporiwm Hernan."

"Ia, dyna ni."

"'Dan ni wedi siarad efo'r llofrudd."

"Be wyt ti'n feddwl?"

"Roedd hi'n gweithio yn Emporiwm Hernan, mae o'n dweud fan hyn… Roedd y ferch honno'n edrych yn ddigon call… Wnest ti sylwi ar rywbeth od ynddi hi?"

"Na, ddim a dweud y gwir, ond wnes i ddim sylwi llawer arni beth bynnag."

"Yn ôl hwn roedd rhyw gyn-gariad iddi… Rhyfedd sut maen nhw'n ffeindio rheini o hyd, yn tydi?"

"Pres, Peter, pres…"

"… yn dweud ei bod hi'n ysu am gael plant. Roedd hi wedi cael llawdriniaeth, ond i ddim pwrpas. Roedd hi fel rhywun gwallgof bryd hynny, meddai'r cariad, doedd 'na ddim rhesymu efo hi, a'i byd hi'n deilchion. Ceisiodd ei chefnogi hi, ond roedd hi wedi gwrthod pob help. Roedd y berthynas wedi dod i ben, am ei fod o'n mynnu y dylai hi fynd i weld rhywun i drafod ei phroblemau. Meddylia, 'dan ni wedi prynu bwyd gan lofrudd…"

"Peter," gwaeddodd rheolwr y caffi arno.

"Wps, wedi cael fy nal yn darllen papur cwsmer. Gwell i mi fynd cyn i mi gael fy nghardia."

A diflannodd Peter i gyfeiriad y gegin, gan adael y papur ar y bwrdd, a llun dau blentyn bach yn syllu ar Gabriela o'r dudalen flaen. Cododd ei phaned a sipian y coffi chwerw'n ofalus. Roedd blas da arno. Doedd hi ddim wedi cael coffi da fel hyn ers gadael Brasil.

"Dos di â'r coffi drwodd i'r Tad Joseff rŵan, Gabriela, a phaid â cholli dim."

"Iawn, Mama," meddai ac yn ofalus iawn aeth â'r baned drwodd o'r gegin fach.

"Mair, mam yr Iesu, rho gymorth i fi," sibrydodd dan ei gwynt, "cadw fi rhag baglu."

Ond wrth estyn y baned, bachodd ei throed yn y mat a chollodd beth o'r coffi i'r soser. Edrychodd mewn dychryn ar yr hylif tywyll yn baeddu'r soser wen, ac roedd dagrau'n casglu yn ei llygaid...

"Paid â phoeni am hynna, Gabriela fach," meddai'r Tad Joseff, fel petai'n deall ei dagrau'n syth. "Mi guddiwn ni hynna mewn eiliad." A chyda chrefft rhywun oedd yn hen gyfarwydd roedd wedi tywallt y coffi yn ôl i'r cwpan a sychu'r soser yn lân â'i hances wen, cyn eistedd yn ôl yn ei gadair â'r cwpan a'r soser yn ei law.

"Paned dda," gwaeddodd i gyfeiriad y gegin, "a'r forwyn fach brydfertha a'r ora yn holl dir Brasil," meddai a rhoi clamp o winc i Gabriela.

Gwenodd hithau.

"Ac mae gen i deisen almon i chi," meddai ei mam yn brysio i mewn i'r ystafell fyw â phlât a theisen arno yn ei llaw.

"A godidog fydd hi hefyd." Torrodd y Tad Joseff y deisen rhwng ei fys a'i fawd. Ni welodd Gabriela neb yn torri teisen felly cynt nac wedyn. "Ac mae hi'n deisen odidog." Roedd o'n tueddu i ailadrodd.

Rhwng ei bys a'i bawd y torrodd Gabriela ei theisen almon y pnawn hwnnw yn Pamplona, ei thorri fel yr offeiriad. Yna, â blas yr almon melys yn llenwi ei cheg, cydiodd yn ei chwpan coffi â'i dwy law a'i godi at ei gwefus, ac yfed. Chwifiai ymyl y lliain gwyn ar ei bwrdd yn ysgafn yn yr awel gynnes.

"O'r diwedd, lle rwyt ti wedi bod?" holodd Cara wrth i Javier agor y drws.

"Dwi yma yr un amser ag arfer. Be sy'n bod, a pham wyt ti yn y gadair mor gynnar?"

"'Dan ni'n mynd am drip."

"Wyt ti'n siŵr?"

"Mor siŵr ag ydw i fod y blydi canser 'ma'n fy lladd i."

Dychrynodd Cara ei hunan heb sôn am Javier efo'i hateb siarp.

"Rydan ni'n mynd i weld cariad Gabriela."

"Paid ti â ponsian efo hen hogia coman."

"Wna i ddim, Mama."

"Wel, wn i ddim faswn i'n ei ddisgrifio fo fel cariad... cyd-gerddwr efallai."

"Twt, paid â siarad lol, cariad ydi o."

"Ac yn lle mae'r cariad 'ma?" holodd Javier wrth wneud rhestr o angenrheidiau ar gyfer yr antur yn ei feddwl.

"Dyna sy'n braf, mae o'n gweini yn un o'r caffis ar y sgwâr."

"A thitha isio paned, wrth gwrs."

"Wrth gwrs, a theisen."

"Mae popeth yn barod gen i, Javier," ychwanegodd Gabriela, "y gadair olwyn yng ngwaelod y grisiau, côt, ryg a rhyw fanion bach..."

"Popeth sydd ar y rhestr 'na rwyt ti newydd ei ffurfio," meddai Cara yn ffraeth.

"Rhestr?" holodd Gabriela.

"Peth cynta wnaeth o."

"Dim dewis ond mynd am baned felly, y gnawes i ti!" ymatebodd Javier.

"Na, dim dewis o gwbwl," gwenodd Cara, ac edrychodd y ddau i fyw llygaid ei gilydd. Roedd hiraeth eisoes yn cronni yn nhynerwch y foment.

Allan â'r tri i ddiwrnod heulog, cynnes. Newidiodd Cara. Roedd hi'n llwyd ei gwedd yn ei hystafell, ond roedd yr haul melyn cynnes yn troi ei chroen i edrych fel y galchen. Doedd y breichiau tenau, bregus yn ddim amgen na phriciau bach y gellid eu torri rhwng bys a bawd. Ochneidiodd yn flinedig wrth gael ei gosod yn y gadair olwyn ar y palmant.

"Mae hi'n braf dianc oddi wrth y pedair wal 'na am funud. Rŵan, Javier – coffi."

"Un peth ydi cael pensaer yn gariad, ac efallai mai dim ond unwaith ddown ni i Moscow, ond oes rhaid i ni edrych ar bob manylyn ym mhob cornel? Dwi bron â marw isio coffi."

"Dau funud a bydda i wedi gorffen."

"A dau funud ac mi fydda inna wedi marw o syched a diffyg caffîn."

"Ond dyna pam 'dan ni yma."

"Be, i'n lladd i?"

"Paid â rhyfygu."

"Paid â gweithio bob eiliad o'r dydd 'ta."

"Dau funud, wir yr..."

"Na, paned..." A chydiodd Cara yn ei law a'i lusgo ar draws y stryd, drwy ganol traffig canol bore, i'r siop goffi.

"Rŵan, eistedd."

Eisteddodd Javier yn ufudd fel ci.

"Ac os gwnei di fihafio, efallai, dim ond efallai, y pryna i gacen i ti."

"Wff wff."

Edrychodd Cara arno'n amheus, ac yna ffrwydrodd eu

chwerthin dros y siop gyfan, nes bod pawb yn syllu ar y ddau'n cofleidio.

"A hwn ydi Peter felly."

"Ia, hwn ydi Peter… o Köln."

"Mae'r eglwys acw yn odidog, Peter."

"Javier, na… Dydan ni ddim yma i drafod pensaernïaeth Köln."

"Na, 'dan ni yma i gael coffi," ymatebodd Javier, wedi hen arfer efo coegni deifiol Cara.

"A chi ydi Cara…"

"Chi? Pwy ar y ddaear ydi'r 'chi' 'ma?"

"Mae'n ddrwg gen i…"

"Paid â phoeni, Peter, dwi ddim yn brathu… a dydi'r hen aflwydd 'ma ddim yn rhywbeth fedri di ei ddal."

"Braf iawn eich cyfarfod chi, mae Gabriela wedi sôn llawer amdanoch chi."

"Ac mae hithau wedi sôn llawer amdanat ti, Peter."

Gwridodd Gabriela.

"Gawn ni dri coffi, plis Peter, a thair teisen… teisen almon?"

Ac er mai llymaid bach o goffi gafodd Cara y pnawn hwnnw, roedd fel petai wedi cael y baned orau erioed. Bu'n awr o dynnu coes a chwerthin a chreu straeon am y bobl oedd yn crwydro'r sgwâr: y ferch ffurfiol ei gwisg yn dwrnai oedd newydd ymladd achos mewn tribiwnlys diwydiannol yn ôl Javier, y prynwr sgidiau rhyngwladol i gadwyn siopau enfawr yn ôl Cara, a'r wraig tŷ oedd newydd fod mewn cyfweliad am swydd fel cyflwynydd teledu yn ôl Gabriela. Ond yn fuan iawn roedd Cara'n pendwmpian yn ei chadair. Dyna pryd y dechreuodd Javier a Gabriela gyfathrebu drwy nodiadau, rhag ei deffro.

'Mae'r dyn tew 'na'n ffermwr cefnog.'

'Wedi gwneud ei arian yn magu teirw.'

'Mewn dyddiau a fu, roedd o'n rhedeg o flaen y teirw.'

'Rhaid eu bod nhw'n deirw ara deg iawn.'

'Fasa fo ddim yn cyrraedd ymhell heddiw.'

'Os nad ydi o'n magu teirw dall.'

Ac felly y bu'r ddau am chwarter awr neu fwy, a Javier yn taflu golwg bryderus tuag at Cara bob hyn a hyn. Gwyddai fod yn rhaid dod â'r pnawn godidog i ben.

'Digon rŵan,' ysgrifennodd ar ddalen lân, 'llawn digon. Dydw i ddim yn helpu Cara fel hyn, rhaid dod â'r hwyl i ben, sori.'

Nodiodd Gabriela, ac yn dyner a hynod ofalus, heb hyd yn oed ei deffro, gwthiodd Javier Cara yn ei chadair olwyn i gyfeiriad y lleiandy.

Roedd y Chwaer Martha ar drothwy'r drws yn aros amdanynt pan gyrhaeddodd y tri yn ôl.

"Lle dach chi wedi bod?" gofynnodd yn ddigon ffwr-bwt.

"Am dro," atebodd Gabriela, heb ystyried tôn ei llais.

"Paid â bod yn flin efo nhw, Martha." Llais lluddedig Cara. "Fi oedd eisiau paned ar y sgwâr."

A chyda phob mymryn o egni wedi'i sugno ohoni, ildiodd Cara i gael ei chario i fyny'r grisiau ac yn ôl i'w hystafell. Wedi ei gosod ar ei gwely, suddodd Javier i'r gadair wrth ei hochr, wedi colli ei wynt yn lân.

"Dau dda 'dan ni," sibrydodd Cara.

"Fedrwn ni ddim mynd am baned heb fod y ddau ohonon ni fel dau gadach."

"Paned?" holodd Gabriela, yn ysu am gael gadael yr ystafell am eiliad.

"Fasa paned yn dda iawn, diolch," atebodd Javier.

Cyn hir roedd Gabriela yn ei hôl efo dwy baned ar hambwrdd.

"Ym mha un mae'r siwgwr?" holodd Javier.

"Sori, wedi anghofio eto."

"Paid â phoeni."

“Na, na, fydda i ddim dau funud. Dwi eisiau picio i’n stafell beth bynnag.”

Dychwelodd wedi gwibio’i ffordd i lawr y grisiau ac yn ôl drachefn. Roedd Javier bellach yn estyn coffi i Cara, fesul llwyaid fach, pob diferyn yn cael ei flasu’n awchus, a’i llygaid hanner cau yn syllu’n annwyl arno.

“Pwy oedd dy forwyn di llynedd?” holodd Javier hi.

“Be faswn i’n wneud hebddot ti dŵad?” ymatebodd hithau.

“Y siwgwr i ti, Javier,” meddai Gabriela gan rwygo congl yr amlen bapur a’i dywallt i’r cwpan.

“Y lleiandy’n mynd yn debycach i gaffi bob dydd – siwgwr mewn amlenni bach.”

“Un oedd gen i dros ben ers pnawn ’ma,” atebodd Gabriela gan droi’r coffi.

“Pwy oedd dy forwyn di llynedd?” gwenodd Cara wrth i Gabriela estyn paned Javier iddo a chymryd coffi a llwy Cara oddi arno.

“Paid â busnesu, Madam.”

Pan ddychwelodd Javier adre y noson honno, roedd rhyw flinder annaturiol wedi dod drosto. Taniodd CD o ariâu operatig mawr. Eisteddodd yn ei gadair ledr, ei ben yn gorffwys ar adain lydan cefn y gadair, a gadawodd i’r gerddoriaeth olchi drosto’n donnau cyfarwydd, cynnes. Teimlai ei lygaid yn trymhau fwyfwy, a gwyddai fod yn rhaid iddo fynd am ei wely, ond rywsut ni allai symud. Roedd yn ewyllysio symud, ond roedd fel petai parlys yn rhewi ei goesau. Teimlai ei ben yn troi bellach, a chwiliodd ei bocedi am dabledi lladd poen. Byddai’n eu cario bob amser, ond ni allai ddod o hyd iddynt heddiw. Gwagiodd gynnwys ei boced, ond roedd ei nerth yn pallu ac yn rhywle roedd llais bach yn ei annog i gau ei lygaid am funud ac yna byddai popeth yn iawn. Roedd aria fawr ‘Che Gelida Manina’ Puccini yn cyrraedd ei huchafbwynt, a chydag un ymdrech fawr ceisiodd Javier godi. Llwyddodd i sefyll, ei law'n gafael fel gelen ym mraich y gadair. Roedd yr ystafell yn troi, ei ben yn curo a'i lygaid ar fin cau. Gwelai'r ffôn ar draws yr ystafell... Camodd tuag ato... Roedd y tenor yn anterth ei nerth... Syrthiodd Javier fel cadach ar lawr.

Pan ddeffrodd Gabriela fore trannoeth roedd 'na anniddigrwydd mawr wedi cydio ynddi. Syllodd ar y gell o ystafell oedd ganddi, y ffenestr yn fudr, olion tamp ar y nenfwd a'r paent tywyll ar y muriau yn cau amdani. Penderfynodd fod yn rhaid parhau ar y daith. Wedi ymolchi yn y dŵr llugoer, casglodd ei phethau, gan wasgu popeth i'r sach goch oedd yn eiddo iddi. Aeth heibio'r Abes a dweud wrthi ei bod yn gorfod mynd yn ei blaen. Crefodd honno arni i aros, gan fod y Chwaer Emilia yn debygol o fod yn yr ysbyty am rai wythnosau, ond mynnodd Gabriela fod yn rhaid iddi fynd. Diolchodd i'r Chwaer Martha am ei thrafferth, ac yna dringodd y grisiau i gyfeiriad ystafell Cara.

"Bore da," meddai wrth agor y drws.

"Bore da," ebychodd Cara ei hateb, fel petai pob gair yn ymdrech.

"Be sy'n bod, Cara?"

"Cysgu'n sâl neithiwr, a hel meddyliau drwy'r nos."

"Mymryn o frecwast – tost a phaned?"

"Ia, mymryn plis."

Ac fe fu'r ddwy'n treulio rhan gyntaf y bore yn y drefn arferol – brecwast, ymolchi mymryn – yna daeth y Chwaer Martha heibio ar gyfer gweddïau'r bore.

"Arglwydd, trugarha."

"Crist, trugarha..."

"Mama?"

"Be rŵan, Gabriela, fedri di ddim gweld 'mod i'n brysur?"

"Ond eisiau gwybod oeddwn i."

"Gwybod be?"

"Pan oedden ni'n gweddïo ar Fair Forwyn ein Harglwyddes i wella Tada, wnaeth hi ddim gwrando, yn naddo?"

"Wrth gwrs ei bod hi wedi gwrando."

"Ond marw wnaeth Tada."

"Mae coleg Javier wedi ffonio yn gofyn oedd o yma," meddai Martha ar ddiwedd ei gweddïau.

"Rhyfedd, roedd ganddo fo ddarlith naw heddiw."

"Wel, doedd o ddim yno beth bynnag."

"Fedri di ffonio fo adra i mi, Martha? Rhag ofn ei fod o'n sâl neu rywbeth."

"Iawn," meddai Martha ac i ffwrdd â hi.

"Dyw hi ddim fel Javier i golli darlith," meddai Cara.

Daeth Martha yn ôl ymhen ychydig.

"Sori, neb yn ateb yno."

"Tria'r cymdogion, i weld os ydyn nhw wedi'i weld o."

Aeth Cara yn fwy aflonydd gyda phob ymweliad o eiddo Martha, a chrwydrai ei bysedd esgyrnog ymyl y blanced ar ei gwely. Brathai ei gwefus isaf yn ysgafn, a diflannodd y rhialtwch oedd yn ei llygaid. Daeth yn amlwg fod golau yn ystafell fyw'r tŷ, ond nid oedd golwg o Javier, na neb yn ateb y ffôn.

"Torrodd Mr Gomez ffenestr y gegin yn y diwedd," meddai Martha wrthi, a phob dafn o liw wedi diflannu o'i hwyneb. "Roedd Javier ar lawr y stafell fyw..."

"Ac...?"

"Roedd hi'n rhy hwyr."

"Be wyt ti'n feddwl 'roedd hi'n rhy hwyr'?" meddai Cara gan geisio oedi'r sylweddoli.

"Roedd o wedi marw."

"Arglwydd, trugarha. Crist, trugarha. Mair Forwyn fy Arglwyddes, gweddïa dros ei enaid."

"Gabriela, cau dy geg."

"Sori..."

"Javier... wedi marw?"

"Mae'n ddrwg gen i, Cara..."

"Sut?"

"Roedd 'na neges wrth ochr y corff."

"Neges?"

"Yn dweud na fedra fo ddal ati, ei fod o'n methu edrych ar dy ôl di'n iawn, rhaid dod â'r hwyl i ben, sori."

Tawelodd Cara. Syllodd i wacter pell, a llithrodd un deigryn unig o'i llygad chwith. Anwesodd ei bysedd esgyrnog y gynfas wen o'i blaen.

"Dwi wedi'i ladd o," meddai mewn llais cwbwl hunanfeddiannol, "cyn wired â dim. Dwi wedi lladd Javier."

vi. Yn ôl ar y ffordd

"Amser ailgychwyn," oedd datganiad Gabriela.

"Pryd?"

"Rŵan," oedd yr unig ateb.

"Ond beth am Cara a Javier?" gofynnodd Peter.

"Mae Javier wedi marw."

"Javier...?"

"Dwi ddim isio siarad am y peth, dwi'n barod... Faint o amser gymeri di i bacio?"

A dyna sut y gadawodd y ddau Pamplona. Ceisiodd Peter holi beth oedd wedi digwydd i Javier, ond ni chafodd ateb.

"Dwi wedi penderfynu cymryd llw o dawelwch..."

"Llw o dawelwch?"

"Fel mae lleianod yn ei wneud."

"Am faint?"

"Ychydig ddyddiau. Dwi eisiau cerdded mewn tawelwch."

"Ond i be?"

"I gael canolbwyntio ar y bererindod."

Ac ar ben y bwlch uwchben Pamplona, yng nghysgod y rhesi melinau gwynt ac wrth ymyl y cerflun o bererinion, arhosodd y ddau gan syllu 'nôl dros y ddinas. Penliniodd Gabriela a sibrwd y weddi:

"Mair fendigaid, ein Harglwyddes, mam ein Harglwydd, cofia ni, gweddïa drosom."

"A chofia Cara yn ei cholled," ychwanegodd Peter.

"Arglwydd, trugarha."

"Crist, trugarha."

"Arglwydd, trugarha."

Ac yno y dechreuodd ei dyddiau o fudandod. Ni wyddai

Peter yn iawn sut i ymateb. Nid oedd erioed wedi gallu delio â thawelwch o'r fath.

"Nhad, pam nad ydach chi a Mam byth yn siarad?"

"Be ti'n feddwl 'byth yn siarad'?"

"Prin dach chi wedi torri gair yn ystod yr wythnos dwetha."

"Peter bach, paid â siarad lol."

"Dydi o ddim yn lol, dwi wedi cyfri."

"Cyfri be?"

"Dach chi wedi siarad deuddeg brawddeg efo hi mewn wythnos."

"Be wyt ti'n rwdlan?"

"Mae rhieni pawb arall o'n ffrindia i'n siarad yn ddi-stop, ond dydach chi ddim."

"Mae pawb yn wahanol."

"Ond dach chi ddim yn cysgu efo'ch gilydd chwaith."

Edrychodd ei dad yn syn arno.

"Ydach chi am adael Mam?"

"Nac ydw siŵr."

"Ydi Mam am eich gadael chi 'ta?"

"Paid â phoeni am betha fel yna, mae dy fam a finna'n deall ein gilydd."

"Ond..."

"Dim 'ond', Peter... Mae popeth yn iawn... Reit?"

"Iawn."

"A does dim angen i ti boeni am y peth."

A dychwelodd y tŷ i'r tawelwch mud oedd yn llenwi'r cartref.

Gyda mudandod Gabriela, cyflymodd ei cherddediad, a'r ddau bellach yn cerdded degau o gilomedrau bob dydd. Roedd y dyddiau'n lladdfa i Peter, a byddai wedi croesawu oedi am eiliad mewn caffi bach ar stryd fawr syth, hynafol Puente La Reina.

Byddai aros y noson wedi bod yn gymwynas i'w draed. Ond roedd Gabriela yn mynnu cyrraedd tref Estella. Byddai llymaid o ffynnon win gerllaw Ayegui wedi bod yn dderbyniol, neu gip ar fynachdy hynafol Irache, ond roedd Gabriela ar dramp diflino, di-stop. Anifeiliaid anwes oedd yr unig rai i gael sylw ganddi, a byddai'n aml iawn yn aros am eiliad i fwytho rhyw gath neu gi y tu allan i ambell dŷ. Yna ailddechrau trampio.

Ond yn rhyfedd, erbyn canol dydd ar yr ail ddiwrnod o fudandod roedd Peter a Gabriela fel petaen nhw'n dod i ddeall ei gilydd yn well. Nid oedd y tawelwch yn rhwystr iddynt glosio. Cerdded drwy ddyffryn llydan roedden nhw ar y llwybr o Estella i Los Arcos, dim byd ond caeau ŷd eang o'u cwmpas, dim tŷ na chwt i'w weld, dim hyd yn oed coeden neu lwyn, dim ond melinau gwynt yn rhes o gewri'n rhedeg ras ar hyd copaon y bryniau yn y pellter. Estynnodd Gabriela ei llaw allan i Peter yn gwbwl annisgwyl. Nid oedd yn sicr iawn sut dylai ymateb, felly yn betrus estynnodd yntau ei law allan, nes bod y ddwy law bron yn cyffwrdd. Cydiodd Gabriela yn ei law yn awchus, a gwasgu'i fysedd yn dyner. Edrychodd arno â'i llygaid tywyll, a gwenu arno. Ni allai Peter ddisgrifio'r pleser oedd yn rhedeg drwy ei gorff y funud honno. Teimlai ei wyneb cyfan yn gwenu 'nôl arni, a theimlai ei gorff cyfan fel petai'n codi ar adenydd. Roedd pob pryder a gofid a fu ganddo cynt wedi troi'n ddim mwy na phluen fach. Ac fe fu'r ddau'n cerdded law yn llaw am filltir neu ddwy, Peter yn mentro cip bach arni bob hyn a hyn, fel pe bai am argyhoeddi ei hun bod hyn yn digwydd. Byddai Gabriela hithau'n troi ato a chydag un cip o'i llygaid godidog roedd calon Peter yn slwtsh unwaith yn rhagor.

Ym mhentref Torres del Rio y cusanodd y ddau am y tro cyntaf. Roedd hi wedi bod yn ddiwrnod godidog o gerdded, cerdded drwy winllannoedd gwin eang ar hyd gwaelod y dyffryn a phasio ambell bentref hynafol ar ben ambell fryncyn, ond heb gerdded i mewn iddynt. Ond roedd arwyddion y gragen, arwydd y pererinion, yn eu harwain drwy ganol Torres del Rio.

Nid oedd yn fawr o bentref, y strydoedd bychain caregog yn gwasgu eu ffordd heibio'r tai uchel i ben y bryncyn. Mor odidog oedd cael eu cysgod, heb sôn am wirioni ar flas hynafol ym mhob cornel. Roedd yr allt yn serth, ond roedd y gorwel wedi datguddio bod 'na eglwys ar ben y bryncyn. Wedi grwgnach eu ffordd droellog i fyny'r bryn, daeth sgwâr bach hyfryd i'r golwg, llety wedi'i beintio'n felyn llachar yn eu hwynebu ac eglwys ar y chwith iddynt. Roedd y lle'n hafan hyfryd rhag yr haul, a ffynnon redegog braf wrth ddrws yr eglwys. Aeth y ddau'n reddfol at y ffynnon a llenwi eu dwylo â'r dŵr oeraf a phuraf a brofodd dyn erioed. Llowciodd y naill a'r llall y dŵr, yna plannu eu dwylo yn y cafn oer o dan y ffynnon.

Ochneidiodd y ddau, a gwenodd Gabriela y wên ddireidus, ddrwg honno roedd Peter wedi dechrau dod i'w hadnabod. Gwyddai beth oedd ar fin digwydd, ond ni allai wneud dim oll i'w rhwystro. Cododd Gabriela ei dwy law allan o'r cafn, a gwelodd Peter y dŵr yn ei dwylo yn cychwyn ei daith tuag ato. Teimlodd ei hun yn plygu i geisio osgoi'r drochfa a ddeuai tuag ato, gan godi ei law i warchod ei wyneb, ac wrth wneud hynny taflodd don arall o ddŵr ato'i hun. Roedd ei ben a'i wyneb yn ddiferol erbyn hyn. Ond roedd Gabriela eisoes wedi taflu trochfa arall i'w gyfeiriad. Chwarddodd hi dros y lle, nes bod ei llais yn atsain drwy'r sgwâr. Cododd Peter yntau lond ei ddwylo o ddŵr i'w daflu ati hithau, ond roedd y drydedd don eisoes wedi glanio yn ei wyneb erbyn hynny. Gwibiodd i ochr draw'r cafn, rhag cael trochfa arall, a chydio'n dynn yn ei harddyrnau, a'r ddau'n dal i chwerthin. Gwasgodd hi ato, er mwyn gwarchod ei hun, ac wrth i'w cyrff gwrdd tynnodd Gabriela ei dwylo'n rhydd o'i afael, anwesu ei ddwy foch a thynnu ei wyneb ati. Cusanodd ei wefusau gwlyb yn nwydus. Safodd Peter yno, yn gobeithio y byddai amser yn sefyll yn llonydd. Roedd ei ben yn troi a'i galon ar ras, ond daeth y gusan i ben a rhoddodd Gabriela winc bryfoclyd iddo wrth droi at y cafn i gymryd dracht arall o'r dŵr.

Gallai Peter gerdded yn ysgafndroed ar ôl hynny, waeth sawl cilomedr oedd eisoes wedi pasio. Roedd y tirlun yn llawer llai diddorol nag y bu, ond roedd ei fryd ar rywbeth llawer amgenach na thirlun. Tynnai'r tawelwch mud hwy at ei gilydd, ni allai egluro sut. Cydient ddwylo ar fympwy, byddent yn troi ac yn gwenu ar ei gilydd yn reddfol bron, a phob hyn a hyn safai'r ddau am eiliad cyn troi at ei gilydd a mwynhau cusan hir. Oedai Gabriela wrth ambell gysegrfan ar ochr y ffordd, ac offrymu gweddi fechan i Fair. Oedai mewn eglwysi hynafol a phenlinio wrth danio cannwyll. Ni ddeuai gair o'i genau, ond gwelai Peter y geiriau'n ffurfio a chredai na allai Mair wrthod gweddïau un mor annwyl ac mor dyner â'i gariad, Gabriela.

vii. I dref y ceiliog a'r iâr

Gallai Peter nodi'r fan a'r lle y daeth y tawelwch i ben. Roedd y llwybrau gwastad diddiwedd yng nghyffiniau Azofra yn dechrau mynd yn fwrn arno. A hwythau wedi cyrraedd rhyw fymryn o grib yn y caeau ŷd enfawr, gallent weld yr hen bentref ar y dde iddynt, casgliad bychan digon di-nod o dai ac ysguboriau ac eglwys fechan. Ond roedd y llwybr yn eu tywys heibio'r hen bentref a thrwy ganol pentref enfawr newydd sbon. Nid amaeth oedd canolbwynt y pentref hwn ond, yn hytrach, y maes golff hynod ddrudfawr yr olwg. Roedd cannoedd o dai a fflatiau wedi'u codi yn hanner cylch o gwmpas y clwb a'r adeiladwyr yn dal wrth eu gwaith yn codi tai moethus. Yng nghanol y safle adeiladu yma, safodd Gabriela yn gegrwth, troi at Peter a thorri ei phumed diwrnod o dawelwch gydag ebychiad ffyrnig.

"Blydi golff."

"Be?"

"Edrych ar y lle! Pam ar y ddaear codi'r hylltod 'ma yn fan hyn? 'Dan ni'n cerdded cilomedrau lawer o anialwch moel, dim pentre na thre na dim, ac wedyn yng nghanol nunlle, yr hylltod yma."

"Mae'n rhaid bod rhywun eisiau byw yma."

"Oes 'na? Tai haf ydi'r rhain…"

"Be sydd wedi digwydd i'r tawelwch?"

"Roedd hi'n bryd dod â'r peth i ben. Roeddwn i angen amser…"

"Amser?"

"I ddod i benderfyniadau. Wedi colli ystyr be oeddwn i'n ei wneud am funud."

"Roedd marw Javier yn siŵr o gael effaith."

"Oedd – am wn i. Ond diolch am dy amynedd."

"Wnes i ddim byd."

"Do, fy ngoddef i a'r tawelwch."

"Wedi hen arfer efo tawelwch. Wyt ti'n iawn?"

"Ydw."

"Ond Mama, be ddylwn i ddweud wrthyn nhw?"

"Dim byd, Gabriela, dim byd. Os wyt ti'n ateb, rwyt ti'n 'u cydnabod nhw."

"Ond fedra i ddim anwybyddu pobl."

"Medri, dyna ddisgyblaeth y lleian a'r offeiriad."

"Ond dydw i ddim wedi fy ngalw i fod yn lleian."

"Efallai ddim, ond mae eu disgyblaeth nhw'n help i ti. Paid â chymryd sylw a gweddïa am nerth ein Harglwyddes."

Ond doedd anwybyddu hogiau erioed wedi bod yn rhwydd, ac yn sicr nid oedd sylw bechgyn yr ardal yn rhwydd i'w anwybyddu. Roedd ei llygaid tywyll, trawiadol hi fel mêl i wenyn, gwyddai hynny, ac yn dawel fach roedd hi'n mwynhau'r sylw.

"Paid â cherddded adra drwy'r sgwâr."

"Ond Mama, does dim modd dod o'r ysgol heblaw trwy'r sgwâr."

"Dwi ddim isio i ti botsian hefo hen hogia, mae 'na ddigon o amser i hynny eto."

Daeth Gabriela i arfer aros yn fud. Wrth glosio at y sgwâr, deuai arogl y siarcol yn llosgi wrth y stondin gnau ac arogl petrol ac olew y ddau neu dri sgwter oedd gan yr hogiau i'w chyfarfod. A dyna pryd y byddai'n cau ei chlustiau a chanolbwyntio ei meddwl ar groesi o dan y goeden fawr.

"Un, dau, tri, pedwar, pump." Byddai o dan ganghennau'r hen bren erbyn cyrraedd pump.

Croesi'r ffordd, ambell gar yn canu corn yn flin wrth iddi wibio o'u blaen.

"Chwech, saith, wyth, naw..."

"Gabriela!"

"Dwi ddim yn clywed dim," meddai wrthi ei hun.

"Gabriela, tyrd yma, mae Miguel isio gair efo ti..."

"Mae o isio mwy na gair."

A'u chwerthin yn atsain rhwng muriau'r sgwâr.

"Gabriela, tyrd â gwên fach i ni 'ta."

"Degunarddegdeuddeg..." a hithau'n colli'i gwynt wrth ddiflannu o olwg yr hogiau i lawr y llwybr cul heibio talcen y siop bob dim. Arhosodd am eiliad, ei chalon yn curo fel gordd yn ei gwddf, y chwys oer ar ei thalcen. Pwysodd ei phen yn erbyn y wal, ei llygaid ynghau.

"Mair, mam yr Iesu, f'Arglwyddes, diolch am..."

"Mae hi'n dal yma, Miguel."

Oerodd ei gwaed wrth glywed y llais o ben y llwybr.

"Mae hi'n aros amdanat ti, Miguel."

Agorodd ei llygaid, a throi ac edrych ar Roberto, ei wallt cringoch seimllyd yn hongian dros ei lygad chwith a'i groen yn blorynnod byw. Fflachiodd ei llygaid tywyll ato fel dwy bicell.

"Dweud ti un gair arall, y ffycin bastard pocsi, a fydd bywyd dy frawd bach mongol di ddim gwerth ei fyw." Hisiodd ei gwenwyn tuag ato mewn llais melfedaidd. Ni wyddai o ble y daeth y geiriau creulon.

"Be ti'n weld yn fan'na, Roberto?"

Syllodd y ferch lygatddu i ddyfnder ei enaid a gwelai ddagrau dyfnion yn crynhoi. Ni symudodd Gabriela.

"Dim byd, dim o gwbwl," meddai Roberto yn wantan.

Trodd ar ei sawdl, ac wrth gilio cymerodd gip sydyn dros ei ysgwydd ar ferch nad oedd wedi'i gweld na'i hadnabod o'r blaen. Cydiodd ias oer yn ei war, a diolchodd am gael camu o'r cysgod i ganol haul tanbaid.

Oedodd Gabriela, gan syllu ar y llafn o sgwâr a welai rhwng talcen y siop bob dim a thalcen y banc. Teimlai wên ryfedd yn tyfu o'i mewn, gwên fodlon un wedi gwneud darganfyddiad. Cerddodd yn araf, yn urddasol, fel llewpard yn llyfu ei weflau, ar hyd y llwybr cul a arweiniai tuag adref.

Roedden nhw'n closio at ddinas hynafol Santo Domingo de la Calzada, a'i thoeau cochion a'i thyrau yn meddiannu'r tamaid gwastadedd o'u blaen. Cydiodd Gabriela yn llaw Peter a sefyll ar y pwt o grib oedd yn arwain i lawr i gyfeiriad y ddinas.

"Hardd, yn tydi?" meddai Peter.

"Ydi."

Trodd Gabriela ato, gwenu, estyn ei llaw chwith at ei foch a'i hanwesu hi'n dyner, dyner. Gwenodd yntau. Estynnodd ati a'i chusanu'n ysgafn ar ei gwefus.

"Diolch," meddai hithau.

"Does dim angen diolch am gusan, roeddwn i'n mwynhau hefyd."

"Na, diolch am y dyddiau dwetha 'ma. Dwi wedi mwynhau."

"Finna hefyd. Ond rwyt ti'n gwneud iddo fo swnio fel petaen ni'n ffarwelio."

"Efallai."

"Be wyt ti'n feddwl?"

"Wn i ddim, ffansi hoe efallai."

"Ond…"

"Ond be…? Paid â chynhyrfu cymaint. Dwi ddim wedi penderfynu dim byd eto. Mae'r dyddiau dwetha 'ma wedi bod yn bwysig i mi. Dwi wedi cael dy gwmni di, ond dwi wedi cael heddwch gen ti hefyd."

"Paid â gwneud iddo swnio fel petai'r cyfan yn gosb i mi."

"Eisiau ti ddeall 'mod i'n ddiolchgar ydw i," meddai gan osod ei dwy law am ei ganol a'i dynnu'n agos ati. Syllodd i'w lygaid, eu cyrff yn gwasgu'n agos.

"Dwi'n deall hynny."

Cusanodd y ddau, un gusan hir, nwydus, dau gorff yn deffro i'w gilydd ac awch ieuenctid yn byrlymu drwy eu gwythiennau. Crwydrai eu dwylo hyd gyrff ei gilydd, a phob anwes yn deffro eu nwydau. Oedodd y ddau am eiliad, wedi colli eu hanadl bron, dwylo Gabriela wedi'u plethu drwy ei wallt a'i ddwylo yntau'n anwesu gwaelod ei chefn a'u hwynebau'n cyffwrdd. Syllodd Gabriela i lygaid Peter, ac anadlu'n ddwfn…

"Dwi eisiau aros efo ti heno."

"'Dan ni'n aros efo'n gilydd bob nos."

"Na… nid mewn *refugio*…"

Am eiliad, ni wyddai Peter sut i ymateb. Nid oedd yn credu ei glustiau, ac eto roedd ei gorff yn gynnwrf drwyddo.

"Ti eisiau i ni gael gwesty?"

"Neu be am brynu pabell?"

"Pabell?" meddai yntau, gan ollwng ei afael ynddi am eiliad. "Lle ga i babell?"

"Pam ddim?" atebodd hithau'n siomedig.

"Ond…"

"Noson ar ein pen ein hunain, neb i ymyrryd, neb i fusnesa…" meddai gan ei dynnu'n ôl ati. "Digon hawdd prynu pabell rad. Ac yna…" meddai'n awgrymog gan estyn ato a'i gusanu'n bryfoclyd a'i dwylo'n crwydro'n afradlon, gan ddeffro'i gorff unwaith yn rhagor.

"Wyt ti'n siŵr?" mentrodd.

"Rioed wedi bod yn sicrach. Dwi isio chdi heno yn fwy na dim yn y byd…"

"Ddim cweit be oedd gen i mewn golwg ar bererindod."

"Na finna… ond taith i ganol yr annisgwyl ydi pererindod, ia ddim?"

A'r prynhawn hwnnw prynwyd pabell, un rad, ysgafn, goch ei lliw.

"Addas iawn," gwenodd Gabriela'n bryfoclyd. A chodwyd y gynfas goch ar damaid o dir heb na ffordd na llwybr yn agos ato, ar gyrion Santo Domingo.

Erbyn codi'r babell roedd yr haul yn machlud dros y ddinas a'r muriau gwynion yn llyncu'r disgleirdeb. Cododd mymryn o awel, a chyda'r awel honno chwythai arogleuon y ddinas i'w cyfeiriad – cymysgedd o fwg ceir a lorïau ac arogleuon bwyd.

Gyda'r arogleuon deuai grŵn pell y traffig ar ryw ffordd fawr, a chwerthin plant ar y stryd a'u mamau amyneddgar yn eu galw adref. Eisteddai'r ddau mewn coflaid yn syllu ar y cyfan, y naill a'r llall yn fud, ac erbyn hyn y naill a'r llall yn swil. Roedd gwenau awgrymog y prynhawn wedi troi'n ofn tawel nad oedd yr un o'r ddau yn fodlon ei gydnabod. Gwasgodd Gabriela ei law.

"Aw!" meddai yntau, a'r 'aw' hwnnw yn dadmer y swildod rhyngddynt.

"Dim ond unwaith wyt ti'n medru rhoi dy hun yn wyryf i rywun."

Cusanodd Gabriela gefn llaw Peter yn bwyllog, y machlud yn gwasgu'i llygaid ac yntau â golwg bell, bell ar ei wyneb.

"Efallai y cei di gariad."

"Ar bererindod mae o'n mynd, bendith tad."

Cododd Gabriela ar ei thraed. Safodd o flaen Peter, a'r haul yn ddisglair y tu ôl iddi. Ni welai ef ddim ond ei siâp yn y goleuni. Cydiodd Gabriela yn ei law, a chododd ef ar ei draed, yna, gan syllu 'nôl i'w wyneb, tynnodd ef i gyfeiriad y babell. Nid oedd angen geiriau, nid oedd angen holi. Penliniodd y ddau wrth ddrws y babell, fel petaen nhw mewn gweddi. Camodd y ddau ar eu gliniau i mewn i'r babell, fel dau'n cael mynediad i'r cysegr sancteiddiolaf. Roedd y machlud a'r gynfas goch yn creu awyrgylch rhyfedd yno, ac arogleuon pabell newydd fel arogldarth yn llenwi'r lle. Caeodd Gabriela sip y babell yn ddefodol bron. Trodd i wynebu Peter. Estynnodd yntau ei law i anwesu ei bron, a chydiodd hi yn ei law a'i atal. Ysgydwodd ei phen.

"Be sy'n…?"

Gosododd Gabriela ei bys ar ei wefus, yn orchymyn iddo dewi. Cydiodd yn ei ddwy law, a chyda nerth rhyfedd gosododd ef i orwedd yng nghanol y babell. Yna'n bwyllog a bwriadus iawn, penliniodd wrth ei ochr a dechrau ei gusanu – ei gusanu â'r fath dynerwch nes dychryn Peter. Gadawodd i'w gwefusau grwydro'i wyneb a'i wddf, yna dechreuodd hi agor botymau ei grys, gan gusanu pob modfedd o'i frest wrth wneud. Estynnodd Peter ei law, ond unwaith eto, gyda grym rhyfedd, gosododd Gabriela ei law yn ôl wrth ei ochr. Cododd i eistedd ar ei gliniau wrth ei ochr a chodi ei breichiau, ac wrth wneud hynny tynnu ei chrys-t oddi amdani. Estynnodd yn ôl a thynnu'i bronglwm blodeuog.

Syllodd Peter ar y croen lliw cneuen, yn lân a heb frycheuyn, ei bronnau'n fychan a chadarn yn gwahodd iddo estyn a'u hanwesu. Ond fe'i rhwystrwyd unwaith eto. Yn hytrach, plygodd hi drosto, ac yn gelfydd ac araf anwesu ei frest â'i bronnau. Erbyn hyn nid oedd Peter eisiau symud modfedd. Ni ddychmygodd am eiliad mai dyma sut y byddai pethau. Roedd Gabriela megis duwies uwch ei ben, ac yntau'n gynhyrfus ddisgwylgar. Yn gelfydd a di-ffws, estynnodd hi at ei wregys, a chan frathu ei gwefus isaf agorodd ei wregys a'i drowsus, a'u llithro oddi amdano, ac yna'i ddillad isaf, gan ei adael yn noeth yng nghanol y babell. Ni wyddai'n iawn beth i'w wneud: roedd un meddwl yn dweud y dylai guddio'i noethni, ond roedd pleser y foment yn ei rwystro. Crwydrodd ei dwylo dros ei gorff, gan ei anwesu a'i fyseddu'n awchus. Oedodd eiliad, edrych yn ei lygaid, syllu i'w ddyfnder, ac yna tynnu gweddill ei dillad hithau.

Gwyddai Peter nad oedd diben iddo symud, a syllodd gydag awch angerddol ar ei noethni. Ni symudodd hi ei llygaid oddi ar ei lygaid ef, tra crwydrai ei lygaid yntau dros ei chorff. Anwesodd ei chorff â'i lygaid gan na châi ei chyffwrdd â'i ddwylo. Estynnodd hithau drosto, ei bronnau'n cyffwrdd â'i frest, yna gollyngodd ei hun ar ei gorff parod, ac ochneidiodd yntau mewn pleser pur wrth iddo'i theimlo yn cau amdano. Caeodd ei lygaid er mwyn teimlo'i chorff yn siglo uwch ei ben. Gorweddodd yno a gwên odidog ar ei wyneb.

Nid oedd dim i'w rybuddio am y boen – fel llosg erchyll ar ei wddf, yna sŵn llafn yn canu wrth dorri'r croen tyn.

Roedd hi wedi dewis y gyllell yn ofalus, carn cadarn ar gyfer torri cig meddai'r dyn yn y siop, a llafn hir o'r dur gorau.

Agorodd ei lygaid a gweld y gwaed yn tasgu. Cododd ei law at ei wddf yn reddfol.

Ni ddychmygodd hi y byddai'r cyfan yn digwydd mor gyflym – cydio yn y carn, un ergyd ar draws ei wddf, un ergyd gadarn, gyflym.

A chyda'r boen, sŵn – sŵn marwolaeth, sŵn y gwaed a'r anadl yn ymladd â'i gilydd wrth adael ei gorff.

Roedd cymaint o waed. Nid oedd wedi disgwyl hynny. Ond o leiaf gan ei bod hi'n noeth gallai olchi'r cyfan yn rhwydd.

Syllodd arni, ac ar y llafn yn ei llaw.

Ni wyddai beth i'w wneud â'r llafn bellach – roedd wedi gwneud ei waith.

Roedd hi'n cilio, yn diflannu i niwl llwydaidd.

Roedd o'n cymryd amser i farw.

Pam?

Ac roedd o'n edrych arni.

Yn llwyd…

Edrych ar ei noethni.

Ac…

viii. Wrth yr allor

Unwaith yn rhagor roedd popeth yn ei le, er bod llond bws a degau o unigolion wedi dod i mewn yn y ddwy awr ddiwethaf, heb sôn am sawl pererin. Byddai hynny'n gwneud llanast o'r cyntedd bob amser ac roedd Irene yn casáu llanast. Roedd 'na duedd gan rai twristiaid i fodio drwy'r llyfrau tywys, cymryd cip ar bob pamffledyn a gadael y cownter pren tywyll yn fôr o bapur. Trefn oedd un o hoff eiriau Irene, a dyna pam roedd yr esgob wedi'i phenodi i fod yn gyfrifol am fynedfa'r eglwys. Roedd angen gwerthu tocynnau, cael pobl i adael eu bagiau yn y gornel y tu ôl i'r drws, cael rhieni i adael bygis gyferbyn â'r drws, yna adrodd rhywfaint o stori'r eglwys cyn iddynt fynd i mewn. Byddai pawb yn holi ble'r oedd y ceiliog a'r iâr, a hithau'n esbonio eu bod yn y blwch ar y galeri bach ar y chwith i'r allor. Ambell un yn gofyn iddi adrodd yr hanes, am y pererin yn syrthio mewn cariad â merch y dafarn, a'r pererin, er iddo gael ei grogi am ladrata, yn cael ei achub drwy nerth Iago Sant. Yna clerc y dref – pethau diddychymyg fuon nhw erioed – ddim yn credu ei fod yn fyw, ac meddai "Os ydi o'n dal yn fyw mae'r cyw iâr rhost 'ma ar y bwrdd yn fyw." Ar hynny, daeth y cyw yn fyw ar y bwrdd. Roedd Irene wedi hen flino dweud y stori heddiw. Nid am ei bod yn fyr ei hamynedd, ond oherwydd bod llond bws o Eidalwyr swnllyd wedi galw. Roedd delio efo nhw'n ddigon i brofi sant.

Bellach roedd hi'n amser cau, pobman yn dawel, hithau wedi cael trefn yn y cyntedd, a phob dim fel pin mewn papur ar gyfer yfory. Roedd hi angen un cip sydyn drwy'r eglwys, yna gallai drosglwyddo'r cyfrifoldeb i'r offeiriad. Y Tad Phillip oedd yno heno. Trawodd y clo ar y drws i sicrhau na ddeuai neb arall i mewn wrth iddi wibio'n sydyn drwy'r adeilad. Sylwodd fod sach pererin wedi'i gosod ar dalcen y cownter mawr. Nid oedd wedi gallu ei gweld o'i stôl y tu ôl i'r cownter.

"Mae 'na rywun yn dal yma, felly," meddai wrthi ei hun.

Camodd o'r cyntedd cymharol newydd a'i lawr marmor sgleiniog i mewn i gorff yr eglwys hynafol. Nid oedd neb wrth y byrddau hysbysu yn darllen hanes yr adeilad. Cymerodd bum cam fel ei bod yn sefyll o flaen y porth gorllewinol mawr, ond nid oedd golwg o neb.

"Helô, amser cau bellach," mentrodd, a'i llais yn treiddio o fur i fur a thrwy'r capeli bychain bob ochr i'r gangell. Ond ni ddaeth ateb.

Cerddodd i lawr y llwybr canol i gyfeiriad yr allor, gan edrych i'r dde a'r chwith, heibio pob colofn ac i mewn i bob hafn. Syllai ei llygaid miniog am y pererin coll. Nid oedd smic yn yr eglwys, ac roedd y ceiliog a'r iâr yn rhyfedd o dawel. Daeth at yr allor a sefyll yn ei hunfan.

"Brenin mawr!" ebychodd.

Yno, ar liain gwyn yr allor, roedd ceiliog gwyn yr eglwys, ei ben wedi'i dorri, ei waed yn staen coch ar yr allor a chyllell ddur fain yn gorwedd wrth ei ochr. Roedd hi fel y bedd. Clustfeiniodd Irene. Clywai sŵn crafu ysgafn, a hwnnw'n dod o'r ochr draw i'r allor. Tynnodd anadl fawr yna mentro heibio'r allor. Edrychodd i lawr, ac yno roedd yr iâr, iâr y gadeirlan, yn crafu ac yn pigo briwsion yr afrlladen sanctaidd.

Rhoddodd drws y cyntedd glic bychan, sŵn roedd hi'n ei adnabod – sŵn y drws yn cau. Rhedodd cyn gyflymed ag y gallai ato. Ond erbyn iddi wibio at y drws, nid oedd 'run adyn yno nac ar hyd y stryd fechan gul a arweiniai at yr eglwys. Dychwelodd at ei desg gan feddwl chwilio am yr offeiriad. Ond dyma weld sach y pererin eto. Oedodd uwch ei phen a phenderfynu ei hagor. Wrth iddi agor y bwcwl cyntaf, syrthiodd pentwr o doriadau papur newydd o geg y sach.

Llofrudd yn Zubiri

Mae merch wedi'i chyhuddo o ladd plant ei chwaer â gwenwyn yn Zubiri...

Pensaer a gŵr academig yn farw

Darganfuwyd Dr Javier Sanches yn farw mewn amgylchiadau amheus...

Tân yn Saint-Jean-Pied-de-Port

Bu farw gwraig oedrannus mewn tân yn Saint-Jean. Roedd cartref Madame Bremond yn *refugio* answyddogol poblogaidd a chredir bod y tân wedi dechrau yn sgil nam trydanol...

Abad yn marw wrth yr allor

Dychrynwyd pererinion gan farwolaeth ddisyfyd yr Abad Martin wrth ei allor yn Roncesvalles...

Safodd Irene yn y cyntedd a syllu ar y papurau'n glytwaith ar y cownter o'i blaen. Ni allai ddeall.

Ar y sgwâr prysur prin ddau gan llath o'r eglwys, oedodd y bws i Burgos. Agorodd y drws blaen gydag ebychiad. Safodd Gabriela rhwng y lloches a drws y bws ac agor dyddiadur taith ei mam. Syllodd ar y dalennau cyntaf a'u rhwygo un wrth un – Saint-Jean, Zubiri, Pamplona, hyd at Santo Domingo de la Calzada, a'u gollwng i fin sbwriel. Caeodd y dyddiadur yn glep, cusanu'r clawr ac ymgroesi. Gwasgodd y gyfrol fel trysor at ei bron. Yna camodd Gabriela i mewn i'r bws gan gymryd un cip olaf ar dŵr y gadeirlan. Caeodd y drws y tu ôl iddi, a chyda herc, cychwynnodd y bws ar daith arall.

Rhan II

i. Ailafael

Cododd Hernan y ffôn oddi ar ei grud, ac ochneidio. Tair galwad arall a byddai wedi cyflawni ei ddyletswydd am wythnos arall. Deialodd y rhif yn flinedig. Oedodd y peiriant cyn ymateb, yna llifodd y synau electronig o ben arall y ffôn. Canodd dri chaniad cyn y daeth llais cyfarwydd Hector i'w glyw.

"Hernan, sut wyt ti?"

"Noswaith dda, sut mae pethau acw heddiw?"

"Digon i'w wneud."

"Wna i mo dy gadw di..."

"Popeth yn iawn, siŵr. Fawr i'w ddweud, mae gen i ofn. Y tymor yn dod i ben yn ara bach. Doedd 'na ddim llawer iawn o bererinion heddiw, chwilio yn haws felly."

"Neb felly."

"Ddrwg gen i dy siomi di."

"Nid dy fai di ydi hynny. Ond wnei di gadw golwg barcud dros y dyddiau nesa 'ma? Mae hi'n ddeng mlynedd, rwyt ti'n gweld."

"Deng mlynedd? 'Rargian! Felly ti wedi'n ffonio fi bob wythnos ers deng mlynedd?"

"Do."

"Pam bo chdi'n dal ati, Hernan bach?"

"Rhaid i mi, er mwyn Maria a'r plantos bach 'na."

"Ond ddaw yr hogan yna ddim yn ôl."

"Daw, fe ddaw hi 'nôl, dwi'n gwybod y daw hi."

"Gobeithio y daw hi rwyt ti."

"Na, mae o'n batrwm, maen nhw'n gorfod."

"Wel, dydi o ddim wedi digwydd wythnos yma, beth bynnag."

"Diolch i ti."

"Croeso, ac os sylwa i ar rywbeth, mi ro i ganiad. Hwyl, nos da."

"Nos da."

Yn gynnar fore trannoeth, a tharth ysgafn yn llyfu ambell bant yn y tir, cyrhaeddodd y bws o Burgos ben ei daith yn Santo Domingo. Nid oedd yr haul wedi ennill ei nerth eto, ond oherwydd awr annaearol gynnar cychwyn y daith roedd yn ddigon cryf i beri i bob teithiwr rwbio'i lygaid wrth gamu i lawr y tri gris at y palmant. Roedd amryw o bobl wedi teithio at eu gwaith yn ôl eu harfer, hefyd ambell ymwelydd, dau neu dri phlentyn ysgol ac un pererin yn ailafael yn ei thaith. Roedd penwisg lwyd ysgafn lleian ar ei phen, a gwisg lwyd lac yn hongian am ei chorff siapus. Ar ei chefn roedd sach lwyd wedi gwisgo a ffon fetel ysgafn yn ei llaw.

Wedi iddi oedi am eiliad ar y palmant, rhoes gip sydyn ar y bin sbwriel gerllaw yr orsaf fysiau. Gwenodd, cyn cychwyn ar ei thaith i gyfeiriad yr eglwys gadeiriol. Oedodd am eiliad ar y palmant wrth weld car yn nesu, ond gan syllu i lygaid y gyrrwr, camodd yn hyderus i ganol y ffordd. Breciodd y car ar frys, cododd cwmwl o fwg du o'r teiars a llanwyd y lle gan arogleuon rwber yn llosgi. Canodd y gyrrwr ei gorn arni. Trodd tri o ddynion dioglyd oedd yn yfed coffi wrth y bar fel un gŵr i syllu'n gyhuddgar ar yrrwr y car. Ni chymerodd Gabriela fymryn o sylw, dim ond croesi'r ffordd yn ddidaro a golwg hynod fodlon ar ei hwyneb. Trodd y dynion yn ôl at eu coffi; trodd un ohonynt ddalen arall yn ei bapur, gollyngodd yr ail amlen siwgwr wag wrth ei draed, tra bod y llall yn tanio sigarét gynta'r dydd.

Nid oedd Santo Domingo wedi newid llawer mewn deng mlynedd, meddyliodd Gabriela wrth gerdded y strydoedd culion i gyfeiriad sgwâr yr eglwys. Mewn ambell gornel roedd teimlad o frwydro i gadw dau pen llinyn ynghyd ar y strydoedd, oglau sur piso mewn cornel arall, tra bod angen llyfiad o baent ar ambell ddrws a ffenestr. Ar hyd y palmentydd roedd olion stympiau a gwm cnoi. Ond wrth nesu at yr eglwys, roedd pethau'n newid. Roedd carreg lwyd y gwesty moethus a cheir drudfawr ei gwsmeriaid yn llenwi un ochr y sgwâr gyferbyn â'r eglwys fel y gwnâi ddeng mlynedd ynghynt. Oedodd cyn croesi'r sgwâr, gan addasu mymryn ar ei phenwisg – roedd y defnydd llwyd yn anghyfforddus ac yn anghyfarwydd. Syllodd ar y Mercedes llwyd o'i blaen. Rhoddodd blwc bach i'r sach ar ei chefn a cherdded i gyfeiriad y car drudfawr. Camodd cyn agosed ag y gallai at y car a chlywodd wich fain y bachyn ar waelod ei sach yn ei grafu. Gwenodd wrth gamu yn ei blaen a llwyddo i gadw'r wich i ganu bob cam o'r daith o drwyn y car i'w gynffon. Gollyngodd ochenaid fechan fodlon wrth syllu 'nôl ar y crafiad ar hyd ochr y car.

"Rhag dy gywilydd di, Gabriela."

"Be dwi wedi'i wneud, Mama?"

"Dinistrio enw da'r teulu..."

"Ond be wnes i?"

"Rwyt ti'n gwybod yn iawn be wnest ti."

"Nac ydw, dydach chi ddim wedi dweud wrtha i."

"Yr hogyn bach 'na..."

"Hogyn bach? Pa hogyn bach?"

"Hogyn bach Margaritta. Yr hogyn bach 'na sydd ddim yn iawn."

"Mateo? Be amdano fo?"

"Be wnest ti iddo fo?"

"Wnes i ddim byd."

"Nid felly maen nhw'n dweud yn yr ysgol."

"A be maen nhw'n ddweud yn yr ysgol?"

"Dy fod ti wedi malu rhyw waith roedd o wedi'i wneud..."

"Be dach chi'n feddwl mae o'n medru ei wneud, Mama?"

"Wel... wn i ddim... ond nhw oedd yn dweud yn yr ysgol..."

"A wnaethon nhw ddim dweud wrthoch chi ei fod o'n enwog am ddweud celwydd."

"Ond mae rhywun wedi torri..."

"Be am Mateo ei hun?"

"Wyt ti'n siŵr na wnest ti ddim byd?"

"Ydach chi eisiau i mi dyngu llw yn enw'r Arglwyddes?"

"Na... nag oes siŵr."

Gollyngodd Gabriela ei sach ar lawr yr ystafell groeso ryfedd o fechan oedd wrth ochr Eglwys Santo Domingo. Gwenodd y wraig oedrannus a safai y tu ôl i'r ddesg coed tywyll uchel oedd yn meddiannu dros draean yr ystafell.

"Mae'r gwasanaeth ar fin dechrau," meddai mewn llais dwfn, cyfoethog.

"Diolch," atebodd Gabriela, gan gamu drwy'r porth ar y dde i mewn i'r eglwys hynafol. Fel y camai dros y trothwy dechreuodd yr organ chwarae, a llusgodd offeiriad cysglyd ei ffordd ar hyd yr adeilad at yr allor a'r asgell ddarllen. Eisteddodd Gabriela yn y sedd gefn. Roedd chwech arall yn y gynulleidfa: tair hen wraig, mam ifanc a'i phlentyn, a dyn busnes llewyrchus yr olwg.

"Dim ots faint o bobl sydd yno, y cwmwl tystion sy'n cadw cwmni i ti."

"Pwy ydi'r cwmwl tystion, Mama?"

"Y saint o ddyddiau a fu, a'r angylion."

"Ac maen nhw yn yr eglwys efo ni?"

"Wrth gwrs."

"Bob amser?"

"Bob amser. Pam?"

"Dim... dim byd."

Erbyn hyn roedd yr offeiriad yn darllen drwy'r gwasanaeth yn fecanyddol bron, a phob pwyslais wedi ennill ei le drwy ailadrodd cyson yn hytrach na thrwy ddefnydd naturiol. Gwibiai drwy'r geiriau, fel petai ar frys i ddweud 'Amen'. Ymatebodd Gabriela hithau gyda'r un difaterwch mecanyddol.

"Arglwydd, trugarha."

"Crist, trugarha."

"Arglwydd, trugarha."

"Pam 'trugaredd', Mama?"

"Am ein bod ni angen trugaredd."

"Pam?"

"Oherwydd ein pechodau, oherwydd ein gwendidau."

"Ond Duw sydd wedi'n gwneud ni."

"Ie, wrth gwrs."

"Ond fo sydd wedi rhoi ein gwendidau i ni felly."

"Ni sydd wedi cwympo trwy Adda."

"Ond Duw greodd Adda, a'i allu i gwympo, felly Duw sy'n gyfrifol am bechod, nid fi."

"Paid â chablu."

"Dydw i ddim yn cablu, dim ond nodi be dach chi wedi'i ddysgu i mi o'r Beibl."

"Cablu wyt ti. Rwyt ti'n troi'n hoeden falch, ac un o'r pechodau marwol ydi balchder. Mae angen i ti erfyn am faddeuant a gweddïo y bydd ein Harglwyddes yn dysgu gostyngeiddrwydd i ti. Arglwydd, trugarha..."

Syllodd ei mam arni. Roedd deigryn yn cronni yng nghornel ei llygaid blinedig a sŵn taerineb trist yn ei llais.

Syllodd Gabriela yn ôl i'w llygaid, ond nid ynganodd air.

"Arglwydd, trugarha..." meddai ei mam yr eilwaith.

Nid ymatebodd Gabriela.

"Mae gormod o dy nain ynot ti. Mi wna i weddïo drosot ti."

Canodd cloch yr offeren gan lusgo meddwl Gabriela yn ôl i Santo Domingo. Syllodd ar yr allor a'i lliain disglair, gwyn. Roedd yr offeiriad yn dal yr afrlladen yn ddramatig o flaen ei wyneb. Bu egwyl o dawelwch cyn iddo'i thorri'n ddwy a'r afrlladen yn siffrwd yn nhawelwch dwys y gwasanaeth. Gwyliodd Gabriela ef yn ofalus wrth iddo wthio'r hanner afrlladen yn farus flêr rhwng ei ddwy wefus borffor, dew a gallai deimlo ei hun yn ffieiddio wrth glywed ei sŵn yn cnoi corff Crist. Penderfynodd y ceiliog yn ei gawell uwchben y sgrin ei bod hi'n bryd iddo glochdar wrth i'r offeiriad godi cwpan y gwaed sanctaidd. Gwenodd Gabriela. Temtiwyd hi i chwerthin yn uchel, ond disgyblodd ei hun rhag y fath ffwlbri.

"Da iawn ti, Gabriela."

"Gwaed Crist, yr hwn a dywalltwyd er iachawdwriaeth llawer."

Gwibiodd yr olygfa yn Roncesvalles i'w meddwl: yr abad a'i wyneb wedi'i wasgu'n slwtsh gan boen, a'i lygaid tywyll yn syllu'n farw ar bawb yn yr eglwys, tra bod gwaed Crist yn staenio'r lliain gwyn. Er bod deng mlynedd wedi gwibio heibio, nid oedd y profiad wedi'i golli. Teimlodd fymryn o wefr y foment honno unwaith eto ac ochneidiodd yn dawel, gan storio'r profiad gogyfer â diwrnod llwm.

Wedi'r gwasanaeth roedd Gabriela wedi meddwl tanio cannwyll cyn gadael yr eglwys. Roedd rhywbeth rhyfedd o ddeniadol mewn gadael fflam ar eich ôl, ond pan welodd mai canhwyllau trydan oedd yno, penderfynodd nad oedd tanio torch yn cynnig unrhyw wefr o gwbwl. Felly trodd ar ei sawdl am y porth, a thaflu un olwg sydyn dros ei hysgwydd gan gofio gwaed coch y ceiliog dros liain gwyn yr allor. Gwenodd, a diflannu o gorff yr eglwys. Cododd ei sach o gongl y cyntedd, a heb na gwên na ffarwél gadawodd y wraig wrth y dderbynfa yn syllu ar y drws allanol.

Roedd yr haul bellach yn dechrau ennill ei nerth ac roedd Gabriela yn sicr ei bod yn hen bryd iddi ddechrau ar ei ffordd. Roedd y pererinion eraill wedi hen gychwyn o Santo Domingo, a byddai haul canol y prynhawn yn grasboeth. Ond roedd un gorchwyl pwysig i'w wneud cyn cychwyn y daith. Trodd i'r dde ar ymylon y sgwâr a cherdded rhyw hanner canllath nes dod at adeilad hynafol ar y chwith. Roedd golwg hen lewyrch ar y lle: gwenithfaen cerfiedig a ffenestri helaeth. Camodd dros y trothwy i adeilad moethus. Dringodd y grisiau marmor a'i llaw yn gorffwys ar y canllaw haearn bwrw. Ar ben y grisiau roedd bwrdd hynod hardd yn ddesg, ac wrth y bwrdd eisteddai swyddog canol oed.

"Bore da," meddai wrth Gabriela, "cychwyn braidd yn hwyr."

"Anorfod mae arna i ofn, y bws yn hwyr."

"O, heddiw gyrhaeddoch chi?"

"Ie."

Estynnodd Gabriela gerdyn bychan – pasbort y pererin, oedd yn cofnodi ei thaith – iddo.

"Dach chi'n dechrau yn Santo Domingo?"

"Ailddechrau," meddai'n bendant.

Syllodd Hector ar y cerdyn.

"Deng mlynedd o hoe."

"Ie."

"Mynd yr holl ffordd tro yma?"

"Wn i ddim eto," atebodd Gabriela yn swta.

"Lle ewch chi heddiw? Belorado?"

"Ie, decini."

"Teithio ar eich pen eich hunan?"

Roedd y dyn yma'n busnesa llawer gormod ym meddwl Gabriela.

"Fyddech chi cystal â nodi 'mod i'n ailddechrau'r daith? Rydw i'n dod o urdd dawel, ac mae'n well gen i beidio oedi fan hyn yn mân siarad."

"Mae'n ddrwg gen i," meddai Hector. "Doeddwn i ddim yn meddwl."

Stampiodd ei cherdyn â stamp mawr swyddogol Santo Domingo, ac ychwanegu'r dyddiad, gan nodi ei bod yn ailddechrau teithio. Trodd Gabriela ar ei sawdl heb hyd yn oed ddiolch iddo, a cherdded yn gyflym i lawr y grisiau, y cerdyn yn ei llaw a'i ffon yn clician ar y marmor gwyn. Wedi'i gwylltio braidd, camodd allan i'r haul tanbaid a chychwyn ar ei thaith tua Belorado.

Roedd rhwystredigaeth amlwg ar wyneb Hector am weddill y dydd, gan fod ffôn y swyddfa wedi torri ac yntau wedi gadael ei ffôn symudol gartref. Ysai am gael dweud wrth Hernan, ond roedd hi'n ddiwedd y dydd pan gafodd y rhyddid i chwilio am ffôn.

"Mae gen i newyddion."

"Be?"

"Fedra i ddim bod yn sicr, ond mae 'na leian…"

Suddodd calon Hernan. Nid lleian oedd hi.

"Roedd hi'n ailafael yn y siwrne ar ôl deng mlynedd…"

"Wyt ti'n siŵr?"

"Wrth gwrs 'mod i. Ac mi wnes i stydio'i phasbort pererin hi."

"Ac…?" Roedd calon Hernan yn curo fel gordd.

"Fe oedodd hi yn Pamplona…"

"A'r dyddiadau?"

"Yr union ddyddiadau wnest ti eu rhoi i mi. Ac roedd hi yn Zubiri, ac fe gafodd stampio'i phasbort pererin yn Albergue Zaldiko ar yr union ddyddiad."

"Hi oedd hi felly?"

"Tawel, gwallt du, llygaid tywyll…"

Gwyddai Hernan beth fyddai'r cam nesaf.

"I ble roedd hi'n bwriadu mynd heddiw?"

"Belorado ddwedodd hi."

"Hector, ti'n arwr. Diolch am dy gymwynas."

"Croeso siŵr."

"Ond paid â rhoi'r gorau iddi... rhag ofn."

Rhoes Hernan y ffôn yn ôl yn ei grud. Ochneidiodd a sychu cysgod deigryn o'i lygad. Roedd gobaith unwaith eto. Roedd chwe achlysur tebyg wedi bod, a'r siom yn dwysáu gyda phob ymgais ofer. Ond heno, roedd pethau'n wahanol. Syllodd ar y llun o Maria ar y ddesg o'i flaen, a rhoi cusan ysgafn ar flaen ei fys cyn ei osod yn dyner ar wydr oer y llun. Estynnodd am daniwr y chwaraewr CD a phwyso'r botwm tanio. Roedd angen cerddoriaeth i'w dawelu. Llifodd cydbwysedd melodaidd gwaith Bach drwy'r tŷ. Caeodd Hernan ei lygaid â gwên fechan, fach ar ei wefus, ac yno y bu am ddeng munud tangnefeddus.

Ond nid oedd modd iddo aros yn hir yn gwrando ar Bach gan fod paratoadau i'w gwneud. Rhaid oedd sicrhau fod popeth yn ei le yn y siop, oherwydd ni wyddai am ba hyd y byddai ar ei daith. Roedd wedi hyfforddi José yn drylwyr. Ni fu erioed y fath drefn ar ei lyfrau nac ar y stoc, heblaw ar yr adegau hynny pan oedd Maria yn fwrlwm brwdfrydig. Byddai José yn iawn. Anfonodd neges destun ato, un fer ac i bwrpas:

> Gorfod mynd i Santo Domingo, fydda i ddim yn ôl am rai wythnosau. Cymer ofal o bopeth. Diolch – Hernan.

Roedd ei sach deithio yn ei lle'n barod. Rhaid i sach y pererin fod yn llwm ac ysgafn. Estynnodd ei sach gysgu o'r cwpwrdd eirio ar ben y grisiau, a honno wedi'i gwasgu'n dynn i fag bychan glas. Nid oedd arno angen mwy na dau o bopeth arall ynghyd â deunydd ymolchi a'r casgliad o betheuach y credai y byddai arno eu hangen cyn diwedd y daith. Daeth ei sach yn barod mewn dim. Gosododd hi ar ei gefn er mwyn ymgynefino â'r pwysau. Roedd popeth yn barod. Trodd ei gefn ar ei fflat cysurus, wedi diffodd y Bach a llu o beiriannau ar hyd y lle. Yna, gydag un olwg hiraethus dros ei ysgwydd, caeodd y drws y tu ôl iddo, mynd i lawr y grisiau ac allan at y car yn yr iard y tu ôl i'r siop.

Nid oedd wedi mwynhau gyrru erioed, a byddai'n casáu gyrru yn y tywyllwch. Plygai yn ei grwman dros yr olwyn lywio, fel petai'n ceisio mynd cyn agosed ag y gallai at y ffenestr flaen, hyd yn oed yng ngolau'r dydd. Ond yn y nos byddai'n crychu ei dalcen a chongl ei lygaid fel petai mewn poen yn ogystal. Roedd yn rhaid iddo gychwyn cerdded trannoeth, ac nid oedd unrhyw drafferth na phris yn mynd i'w rwystro.

"Mi ddo i o hyd iddi, Maria, dwi'n addo."

"Does dim modd, a fydd yr heddlu ddim yn trio dy helpu."

"Biwrocratiaid ydyn nhw, nid pobl wedi'u gyrru…"

"Gan be? Gan ddial."

"Ia, efallai… Wn i ddim…"

"Ond fydd ei dal hi, na hyd yn oed dial, ddim yn dod â nhw 'nôl."

"Ond mi fydd yn sicrhau cyfiawnder i ni."

"A be ydi gwerth hwnnw?"

Nid oedd Hernan yn rhy sicr beth roedd o am ei wneud wedi iddo gyrraedd Belorado. Roedd ei feddwl ar chwâl; er iddo gynllunio popeth a chwarae'r cyfan yn ei ddychymyg sawl gwaith y dydd, pan ddaeth y foment aeth popeth ar ddifancoll. Pe byddai pererin yn holi ei hynt a'i helynt, a fyddai'n esgus ei fod wedi cerdded taith hir? Neu a fyddai'n dweud iddo ailgychwyn y daith? Beth petai rhywun yn ei weld yn cyrraedd yn y car? Roedd ei holl gynllun fel tarth ar doriad gwawr.

ii. Tua Burgos

"Mae'r daith o Santo Domingo i Belorado yn teimlo fel un gwastadedd hir ac rwyt ti'n teithio drwy gaeau ŷd enfawr, diddiwedd. Dal ati ac ar y daith adrodda dy weddïau i Fair, bydd hi'n dy gynorthwyo ar y ffordd. Byddi'n gadael talaith La Rioja ac yn dod i Castille a León, y dalaith frenhinol. Mae Belorado yn swatio yng nghesail bryncyn bach, a dwy eglwys yn cyfoethogi popeth sydd yno. Mi es i Santa Maria, fel y gelli di feddwl. Yn Santa Maria mae'r gwasanaethau yn yr haf, ac mi es i gapel Santiago, capel arbennig i bererinion, ac adrodd y llaswyr cyn yr offeren.

"'Bendith arnoch, fy merch i,' meddai'r offeiriad, hen ŵr blinedig yr olwg, wrth basio heibio'r capel ar ei ffordd i'r offeren.

"Teimlwn fel petai llaw Duw yn fy nghyffwrdd ac yn llenwi fy nghorff ag egni newydd. Gallwn fod wedi cerdded deg cilomedr ar hugain arall y funud honno."

Cafodd Hernan daith anodd. Un peth oedd casáu gyrru, ond roedd o'n lled-gasáu hefyd yr hyn roedd o'n bwriadu ei gyflawni, er na chredai fod ganddo ddewis. Arafodd ychydig ar y car ac estyn CD o flwch uwchben y radio. Gan ddefnyddio un llaw yn unig, estynnodd y CD a'i osod ar ei lin. Straffagliodd i agor y clawr, gan geisio cadw'r car ar lwybr syth. Ochneidiodd wrth lwyddo i lithro CD o waith Bach i'r hollt fechan yn y radio. Deffrodd y peiriant, ac wedi saib dioglyd daeth nodau cytbwys, taclus y cyfansoddwr i lenwi'r car. Gellid gweld wyneb Hernan yn ymlacio, crychau ei dalcen a chongl ei lygaid yn lled-ddiflannu, ei anadlu'n dyfnhau a'i yrru herciog yn llyfnhau i gyfeiliant y nodau hardd.

Canodd corn dwfn rhyw lori yn uchel. Yn reddfol, rhoes

Hernan dro sydyn i'r llyw a chlosio at y clawdd. Gwibiodd golau'r lori ychydig fodfeddi heibio iddo. Llamodd calon Hernan i'w wddf a lledodd ofn drosto fel chwys oer. Roedd o wedi crwydro i lwybr y lori heb yn wybod iddo. Bellach gallai deimlo'r car yn gyrru'n anesmwyth dros fymryn o wellt sych ar ochr y ffordd. Arafodd Hernan y car a throi'r llyw fymryn i'r chwith gan ddychwelyd i gadernid y ffordd fawr. Yna arafodd eto, ac aros ar ochr y ffordd. Diffoddodd y peiriant a diffodd y Bach ar yr un pryd. Wrth gamu allan o'r car sylwodd ei bod hi'n noson dywyll. Yn y pellter gallai glywed y lori'n gwibio mynd drwy'r tywyllwch, ond heblaw am hynny roedd hi'n dawel fel y bedd. Câi awel gynnes ei chwythu o'r cae ŷd wrth ymyl y ffordd, a'i siffrwd fel sŵn tonnau bychain ar draeth. Chwyrnai'r lori ei ffordd heibio'r troadau chwithig y teithiasai Hernan ar eu hyd rhyw ddau gilomedr ynghynt. Rhoes ei ddau benelin ar ben y car a chladdu ei wyneb yn ei ddwylo. Roedd arno ofn. Nid oedd wedi teimlo ofn tebyg erioed o'r blaen, ac yn ei ofn ysai am gwmni, ond nid oedd cwmni i'w gael. Estynnodd ei law i'w boced a gafael yn ei waled. Tynnodd lun o berfeddion ei dderbynebau, llun o Maria. Syllodd drwy'r gwyll i'w llygaid llonydd, cusanu'r llun, a dychwelyd i'r car. Chwyrlïodd nodau Bach o ddwy gornel flaen y car unwaith eto wrth iddo danio'r injan ac ailgychwyn ar ei daith i gyfeiriad y golau neon melyn oedd yn llechu dan y bryncyn ychydig gilomedrau i ffwrdd.

"Rhaid cychwyn yn gynnar, Gabriela, y bore piau hi."

"Ond dwi ddim isio codi, Mama."

"Wnes i ddim clywed hynna."

"Dwi isio bore bach dioglyd yn slotian yn fy ngwely."

"Paid â lolian, mae 'na ormod i'w wneud."

"Be sydd eisiau ei wneud?"

"Gweddïau, mynd i'r fynwent i roi blodau ar fedd dy dad, ymweld â'r cleifion..."

"Ewch chi, bydda i'n iawn yn fy ngwely."

"Rwyt ti'n codi rŵan..."

Am chwech y bore roedd y *refugio*'n fwrlwm, pawb eisiau ymolchi a chychwyn yr un pryd. Pob un ond Gabriela. Roedd ei chloc larwm hi wedi canu am hanner awr wedi pump, a chôr o ocheneidiau wedi croesawu'r sŵn. Cododd Gabriela yn syth, a heb unrhyw ymdrech i gadw'n dawel roedd hi wedi ymolchi a phacio'i phethau mewn llai na hanner awr.

"Pererindod dda i chi i gyd," meddai wrth gydio yn nwrn y drws, "a boed i Fair eich gwarchod."

"Ac i chithau, chwaer," meddai un neu ddau yn llesg fel ateb wrth i'r drws gael ei gau'n glep.

Ar ochr arall y drws, oedodd Gabriela cyn brathu trwyn y dorth Ffrengig oedd yn ei llaw. Roedd hi'n mynd i fwynhau cerdded taith y dydd.

Ni chawsai Hernan noson dda. Erbyn iddo gyrraedd Belorado roedd hi wedi deg, ac oherwydd hynny roedd y *refugio* drws nesaf i Eglwys Santa Maria wedi cau. Bu'n rhaid iddo chwilio am ystafell yn Bar Goya, bar bychan poblogaidd yng nghanol y pentref.

"Fedrwch chi ddim cychwyn cerdded mor bell heb frecwast iawn," mynnodd Teresa, perchennog serchus Bar Goya.

"Na, bydd popeth yn iawn, dwi angen cychwyn yn gynnar iawn."

"Ia, ia, mi wn i hynny – mi wna i frecwast da i chi erbyn hanner awr wedi chwech."

Nid oedd unrhyw bwrpas dadlau â Teresa.

"Dwi ddim yn deall pam eich bod chi'n cychwyn yn Belorado," meddai Teresa wrth roi platiaid o gigoedd oer o'i flaen a thywallt cwpanaid o'r coffi duaf a welsai neb erioed iddo. Yna rhwygodd dorth gynnes yn ddarnau hwylus.

"Diolch," meddai Hernan, fel dyn newydd glywed drws y carchar yn cau.

"Dwi'n deall rhywun yn cychwyn o Santo Domingo, neu Burgos, ond pam ein pentref bach ni?"

Roedd Hernan fel dyn yn boddi, yn chwilio am unrhyw damaid o froc môr.

"Amser."

"Amser?"

"Doedd gen i ddim digon o amser sbâr i wneud y daith i gyd, felly rydw i wedi mesur yn ofalus faint fedra i ei gyflawni, a dyma benderfynu dechrau fan hyn."

"Faint o amser gymerwch chi i gyrraedd Santiago felly?"

"Faint?"

"Ia, chi oedd yn dweud..."

"Deng niwrnod ar hugain."

"Pawb â'i bleser," gwenodd yn lled nawddoglyd arno a llenwi ei gwpanaid o goffi unwaith eto.

Cafodd frecwast blasus er ei rwystredigaeth, ac erbyn hanner awr wedi saith roedd wedi gadael allweddi ei gar yng ngofal Teresa ac wedi cyrraedd y *refugio* ger Santa Maria, yn y gobaith o weld Gabriela yno. Cerddodd i mewn i'r cyntedd eang. Roedd hon yn arfer bod yn theatr, ond roedd y lle fwy neu lai'n wag.

"Rhyw leian fach wedi deffro pawb yn gynnar," oedd sylw cysglyd gofalwr y *refugio*. "Pawb wedi cychwyn mewn tymer ddrwg."

"Diolch."

"Pererindod dda i chi."

"Hwyl!" Trodd ar ei sawdl. Roedd ganddo ddiwrnod caled o gerdded o'i flaen.

Llwybr digon diflas oedd y daith, gan ddilyn y ffordd fawr yn slafaidd. Gwibiai'r ceir ar hyd yr N120 yn ddiflino, ac roedd sŵn pob lori yn ei atgoffa am yr hyn ddigwyddodd neithiwr. Nid oedd yn gallu ymlacio dim wrth gerdded. Roedd clymau yn ei stumog, ei galon yn curo fymryn yn gyflym a'i geg yn sych. Daliai'r ofn a deimlai neithiwr i'w lethu.

Roedd y ffordd fechan a ddilynai yn dechrau dringo mymryn bellach ac wrth ddringo roedd o'n cerdded dan gysgod clogwyn a haen ar ôl haen o graig wedi'u gwasgu ynghyd.

"Hyn sy'n iawn," meddai'n benderfynol wrtho'i hun. Ond o ddyfnder ei gof mynnai Maria ymyrryd.

"Hyn sy'n iawn yn dy olwg di."

"Ac yng ngolwg y gyfraith."

"Ond dwyt ti ddim yn gyfreithiwr, nac yn farnwr nac yn blismon…"

"Mae cyfiawnder yn fwy na swyddogion llywodraeth."

"Ond nhw sydd â'r awdurdod…"

"Ond mae gen i awdurdod moesol."

"Plis, wnei di wrando arna i, dwi ddim isio i ti fynd i drwbwl."

"Mi fydd popeth yn iawn."

"Beth petaet ti'n gwneud camgymeriad, yn cael y person anghywir?"

"Mi fydd popeth yn iawn, fydd y diniwed ddim yn dioddef eto."

"Wyt ti'n siŵr?"

"Wrth gwrs fy mod i, mi fydda i'n ofalus, ac mi fydda i'n bwyllog."

"Does wybod be wnaiff hi, cofia. Roedd yr hogyn 'na'n gariad iddi, a ti'n gwybod be wnaeth hi iddo fo."

"Dwi'n gwybod sut un ydi hi."

Ond doedd o ddim.

Crawciodd rhyw frân yn gras o'r clogwyn uwchben, a chododd pili-pala o'r mymryn chwyn gerllaw'r llwybr.

"Pentref cysglyd ydi Villambistia. Mae'r sgwâr ym mhen uchaf y pentref a thu hwnt i'r tai gwynion gelli weld y gwastadeddau yn ymestyn am filltiroedd ar filltiroedd. Roeddwn i wedi blino'n lân wrth gyrraedd – mae'r llwybr yn llethu rhywun yn yr ardal hon. Clywswn am draddodiad Villambistia, ac roeddwn i'n cydymdeimlo â'r hen bererin oedd wedi ymlâdd wrth gyrraedd y ffynnon yn y pentref.

"Hen ffynnon fawr wythochrog ydi hi a cholofn garreg yn sefyll yn ei chanol. Felly fe wnes i fel y gwnaeth yr hen bererin ar gyngor un o'r pentrefwyr. Dyma drochi fy mhen yn gyfan yn y ffynnon oer. Gallwn deimlo oerni'r dŵr yn gwasgu 'mhen i, a theimlwn boen ddifrifol ar draws fy nhalcen. Syllais ar lwydni'r celwrn carreg drwy'r dŵr rhewllyd. Oedais, a'r dŵr yn diferu drwy fy nhrwyn. Oedais yn hwy nes 'mod i ar fin tagu. Yna codais fy mhen o'r dŵr a theimlo'r hyn y mae pob pererin wedi'i deimlo – teimlo egni newydd yn llenwi fy nghorff. Nid oes ffynnon debyg i hon yn y byd i gyd."

Roedd Gabriela wedi anghofio popeth am y ffynnon ryfeddol, neu byddai wedi paratoi. Daeth y cyfan yn ôl i'w chof wrth iddi gyrraedd y sgwâr a gweld gwraig ganol oed yn trochi ei phen i gyd. Teimlai ei dicter yn ymgasglu. Os na fyddai'n gwneud rhywbeth byddai ei chynllun yn anghyflawn, ond nid oedd wedi paratoi dim ar gyfer y ffynnon. Ond nid y diffyg paratoi yn unig oedd yn ei digio, ond y ffaith fod hanner dwsin o bererinion, pob un a'i wallt yn wlyb, yn eistedd wrth ymyl y ffynnon. Ni allai wneud dim heb iddynt sylwi.

"Bore da," cyfarchodd gŵr canol oed hi.

"Bore da," meddai hithau yn ffwr-bwt.

"Teithio o bell bore 'ma?"

"O Belorado."

"Rydych chi wedi dechrau cerdded yn gynnar felly."

"Ydw."

"Yn y bore mae 'i dal hi."

"Ie."

Tawodd y gŵr cyn i ddiffyg atebion Gabriela fynd yn drech nag o.

Tynnodd hi ei sach oddi ar ei chefn a'i gosod wrth y ffynnon. Eisteddodd ar y garreg oer. Syllodd i waelodion y dŵr ac, yn ei meddwl, chwiliodd yn y sach am rywbeth allai adael ei farc ar y ffynnon.

"O ble dach chi'n dod?"

"O Frasil." Glynodd at yr atebion swta.

"Dod o bell, felly. Cerdded y camino ar eich pen eich hun?"

"Ie."

"O ble yn Brasil?"

"Pentre bychan, fasach chi ddim yn ei nabod."

"Pererindod dda i chi."

"Ac i chithau."

"Byddwn ni'n siŵr o gyfarfod eto."

"Efallai."

Cododd y chwe phererin eu sachau teithio.

"Pa mor bell ydan ni o'r baned nesa?"

"Rwyt ti newydd drochi dy ben, felly ti'n siŵr o fod yn llawn egni rŵan."

"Fasa caffîn yn fwy o help, dwi'n meddwl."

"Duw rhai yw eu caffîn."

"Ewch yn eno'r Tad," sibrydodd Gabriela wrth iddynt oedi'n hir cyn cychwyn.

"Hwyl i chi."

"Hwyl."

"Cofiwch drochi'ch pen, er mwyn cael egni."

"Siŵr o wneud."

Roedd angen pwyll wrth ystyried beth y gallai ei wneud i'r ffynnon. Rhaid oedd osgoi gwneud penderfyniad byrbwyll. Gan ei bod hi'n ganol bore roedd cryn fynd a dod yn y pentref, heb sôn am y mynd a'r dod y tu ôl i lenni'r tai gwyngalch, felly roedd angen gofal. Plygodd ac agor ei sach, gan estyn am y clwt o dywel, ac wrth wneud hynny cydiodd yn slei mewn potel fechan. Cododd, ac yn bwyllog iawn, fel petai'n perfformio ar lwyfan, tynnodd ei phenwisg lwyd a syrthiodd ei gwallt tywyll dros ei hysgwyddau. Diferai pelydrau'r haul oddi arno fel gwlith. Yna'n osgeiddig dawel, gosododd ei phen a'i gwallt yn y dŵr oerllyd. Wrth wneud hynny, daliodd ei gwynt a chadw'i cheg ynghau, gan wthio un llaw yn ddwfn i waelod y ffynnon. Gwagiodd gynnwys y botel fechan yn gyfan i ddŵr y ffynnon. A'r gwaith cudd wedi'i orffen, cododd ei phen o'r dŵr gan gasglu ei gwallt gwlyb ynghyd ag un llaw a'i daflu'n ôl dros ei thalcen. Estynnodd am ei thywel â'r llall, a gosod y botel wag yn ei bag. Sychodd ei gwallt â'r tywel gan ddychmygu'r gwenwyn yn treiddio'n dawel drwy'r dŵr.

Nid oedd yn rhy fodlon â'i gwaith, am fod y ffynnon yn llawer iawn rhy fawr i'r gwenwyn gael llawer o effaith, ond o leiaf gallai droi pererindod ambell un yn anghyfforddus am ryw ddeuddydd neu dri. Er nad oedd hyn yn ddigon ganddi eto, roedd yn well na pheidio gwneud dim a gadael y cof heb ei sgwrio.

Roedd anghofio hanes y ffynnon wedi gwylltio Gabriela; roedd angen iddi fod yn drylwyr. Cyflymodd ei cherddediad yn arw. Aeth heibio'r chwe phererin a welsai wrth y ffynnon fel y gwynt, heb hyd yn oed eu cyfarch. Ceryddai ei hun yn ei meddwl â phob cam. Cyn bo hir roedd wedi dringo i ben y bryn yr ochr draw i bentref Espinosa, a gallai weld Villafranca draw yn y pellter wrth droed Montes de Oca. Roedd y daith foel drwy'r coed bythwyrdd unffurf a diflas yn ddigon i ladd egni unrhyw gerddwr. Nid oedd wyneb y llwybr yn esmwyth dan draed, felly roedd hi'n daith chwithig, amhleserus. Gwyddai fod cofeb i'r rhyfel cartref rywle tua phen uchaf y daith, ond roedd y fan honno'n hynod araf yn dod i'r golwg. Oedodd ac ochneidio mewn rhyddhad pan ddaeth y golofn gerrig nadd sgwâr i'r golwg. Roedd yn ddigon tebyg i ryw bwt o simne ar ganol y llwybr. Gwyddai ar ôl hyn y byddai'r llwybr ar i lawr, a dim ond saith cilomedr cyn cyrraedd San Juan. Oedodd am eiliad wrth y gofeb, ac eistedd ar un o'r byrddau gerllaw. Cymerodd lymaid o ddŵr a thamaid i'w fwyta. Roedd wedi tawelu ychydig erbyn hyn, a chyda'r tawelwch daeth blinder hefyd, felly roedd yr hoe yn llesol. Yna cododd a chymryd cip digon di-hid ar y gofeb cyn ailgychwyn ar ei thaith i lawr y mynydd i gyfeiriad San Juan.

Nid oedd Hernan wedi ystyried cyn lleied roedd o wedi paratoi ar gyfer cerdded y daith. Un peth oedd paratoi cynlluniau a chasglu cynnwys ei sach, ond nid oedd wedi amgyffred pa mor flinedig fyddai'r cerdded. Roedd hi'n ddechrau'r prynhawn pan gyrhaeddodd Villafranca ac roedd ei reddf yn mynnu ei fod yn parhau dros y mynydd i San Juan. Ond roedd ganddo boenau mawr yn ei goesau ac ofnai efallai fod pothelli ar ei draed. Gallai orfodi ei hun dros y mynydd, ond yna ni fyddai gobaith cerdded llawer trannoeth. Nid oedd yn debyg o ddod o hyd iddi heddiw felly. Yr oedd cyn agosed ag y gallai fod, gan fod rhyw hen wraig yn Villambistia wedi'i gweld yno y bore hwnnw.

"Nid yn aml rydan ni'n cael lleian yn trochi ei phen yn y ffynnon, ond wedyn, efallai mai dim ond nofis oedd hi. Wrth eistedd fan yna, dyma hi'n tynnu ei phenwisg, ac o, mi ddylsach chi weld y gwallt godidog oedd ganddi, un hynod drawiadol. Ond i'r ffynnon â hi dros ei phen, ac roeddwn i'n meddwl ei bod hi am ymdrochi ynddo am funud, oherwydd mi roddodd ei llaw ar lawr y ffynnon. Welais i neb yn gwneud dim byd o'r fath o'r blaen. Wedyn ffwrdd â hi a golwg flin ddychrynllyd ar ei hwyneb. Rioed wedi gweld lleian mor drawiadol o hardd. Pethau plaen ydyn nhw fel arfer."

Penderfynodd Hernan mai gwell fyddai cael gorffwys da yn Villafranca fel y gallai gyflymu trannoeth.

iii. Burgos

Nid oedd Ferdinand wedi siafio heddiw, a doedd hynny ddim yn eithriad. Gallai fynd am dridiau weithiau heb weld rasal. Credai fod rhyw nerth yn ei adael bob tro y byddai'n eillio neu dorri ei wallt.

"Efallai dy fod yn dioddef o glwy nad oes neb yn gwybod amdano eto – syndrom Dileila."

Roedd o'n hoff iawn o siarad ag ef ei hun hefyd, yn enwedig ben bore wedi i'r holl bererinion gychwyn ar eu taith. Bryd hynny ni fyddai neb yn y Casa i wrando arno, felly cystal iddo fwynhau clywed ei lais ei hun yn trybowndian drwy goridorau ac ar hyd grisiau marmor yr hen sgerbwd o adeilad. Ar adegau byddai'n canu, er mai prin y byddai beirniad yn ei alw'n ganu, ond nid oedd yn malio dim beth ddywedai'r rheini. Roedd digon ohonynt mewn bod.

"Ferdinand?"

"Ie, Arglwydd Esgob."

"Mae'r Casa yn adeilad mawr iawn, Ferdinand."

"Peth peryglus iawn yw mynegi'r amlwg mewn dull sy'n awgrymu eich bod yn datgan y newydd, f'Arglwydd Esgob."

"Diolch, Ferdinand," atebodd yr esgob yn sur.

Roedd sawl pennod debyg i hon wedi bod rhyngddynt.

"Croeso siŵr, rhan o fy nyletswydd i'r Eglwys."

"Ond mae dyletswydd arall wedi'i gosod arnom ni hefyd, a hynny yw gofalu am yr hyn y mae'r Arglwydd wedi'i ymddiried i'n gofal."

"Falch o'ch clywed yn datgan hynny mor glir, syr."

"Sôn am arian ydw i, Ferdinand."

"Arian? A finna'n meddwl mai sôn am y Casa oeddech chi."

"Mae o'n rhy ddrud i'w gadw, Ferdinand."

"Rhy ddrud? Dach chi ddim wedi rhoi hyd yn oed llyfiad o baent i'r lle ers ugain mlynedd."

"Ond rhwng trethi, yswiriant, trydan a nwy, mae'r lle'n straen ar yr esgobaeth."

"Ac mae cynorthwyo pererinion yn rhan o'n dyletswydd."

"Ond heb godi tâl…"

"Mae'r rhan fwya yn rhoi o'u gwirfodd."

"Ond dim digon. Mae'r plwyfi'n dioddef…"

"Oes gan y sgwrs fach yma rywbeth i'w wneud â chynnig cwmni arbennig i brynu'r Casa?"

"Peidiwch â siarad lol, Ferdinand. Dyma'r ddegfed sgwrs debyg i ni ei chael mewn pum mlynedd."

"Cynnig swm sylweddol o arian, dyna glywais i."

"Ydach chi'n rhoi coel ar glecs y dref?"

"Dim ond gofyn."

"Gofal am yr esgobaeth sydd gen i."

"A gofal am deyrnas Dduw sydd gen inna."

Roedd yr esgob wedi hen flino ceisio dal pen rheswm â Ferdinand, a hwnnw wedi perffeithio'r grefft o fod yn gingron styfnig. Dirywio dros y blynyddoedd fu hanes yr adeilad urddasol roedd Ferdinand yn gofalu amdano, oherwydd diffyg arian ac oherwydd esgeulustod pur. Ni châi hanner yr ystafelloedd eu defnyddio bellach, ac roedd rhesi o fwcedi wedi'u gosod ar gyfer y dyddiau hynny pan fyddai hi'n tywallt y glaw. Gwaith pennaf Ferdinand ar gyfnodau o'r fath fyddai gwagio'r bwcedi a chadw'r lle rhag dirywio mwy. Ond roedd consortiwm o westai enfawr wedi bod yn llygadu'r adeilad ac yn gweld posibiliadau mawr, yn enwedig yn y cyntedd helaeth a'r lloriau marmor, heb sôn am y grisiau hanner tro gosgeiddig. Roedd yr esgob yn ddigon bodlon gwerthu'r lle a chael gwared ar y cyfrifoldebau, a byddai'r cannoedd o filoedd yn siŵr o ddatrys ambell broblem oedd ganddo yn yr esgobaeth. Ond roedd pob sgwrs â Ferdinand yn codi ofn arno. Roedd y dyn mor bengaled a styfnig, nid oedd modd rhesymu ag ef. Croesawu pererinion oedd priod waith yr adeilad yn nhyb Ferdinand, ac nid oedd unrhyw rôl arall yn bosib iddo.

"Helô, oes 'na bobl?"

Atseiniodd llais Sofia drwy'r adeilad gwag. Ond ni ddaeth ateb. Safai yng nghanol cyntedd crwn enfawr y Casa Penuel, y grisiau'n troelli eu ffordd i fyny i'r entrychion a'r canllaw o haearn bwrw cywrain a'r blodau peintiedig arno bellach yn drist ac wedi gwisgo. Roedd oglau tamp yn llenwi ei ffroenau, yn gymysg ag oglau amonia cryf. Ond roedd yn anodd dirnad ai oglau o'r tŷ bach ynteu oglau deunydd glanhau oedd o. Roedd y waliau enfawr yn diferu o leithder, ac ambell gerpyn o dapestri rhad wedi'i hongian yma ac acw.

"Helô, oes 'na bobl?" Gwnaeth ymgais arall i dynnu sylw.

Daeth sŵn digon tebyg i chwyrnu o ryw gornel bell ar y llawr cyntaf, ac yna sŵn rhywun yn llusgo'i draed ar hyd y marmor gwyn. Daeth Ferdinand i'r golwg ar ben y grisiau, ei ofyrôl las yn hongian yn llac o gwmpas ei gorpws, morthwyl wedi'i wthio dan ei felt, sachaid o hoelion bychan yn un llaw a chlwt budr yr olwg yn hongian yn y llall.

"'Dan ni ddim yn agor tan ddau."

"Na, nid pererin ydw i."

"Naci, decini, yn y sgidia 'na."

Edrychodd Sofia i lawr ar ei sgidiau fel plentyn wedi cael cerydd. Yn dawel fach roedd hi'n falch iawn o'i sgidiau – sgidiau coch godidog, efo sawdl pedair modfedd, a'i siwt ddu yn tynnu sylw atynt.

"Fasa chi ddim yn cyrraedd ymyl y ddinas 'ma'n gwisgo rheina."

"Yma i weld yr adeilad ydw i."

"Be, y llipryn esgob 'na sydd wedi eich anfon chi?"

"Na, ddim yn hollol."

"O... Un o bobl yr hotel ydach chi?"

"Fedra i ddim trafod fy nghyflogwyr efo chi, mae arna i ofn."

"La di da," atebodd Ferdinand gan ddechrau ar ei daith i lawr y grisiau ati. Roedd ei glun yn boenus a châi drafferth cerdded i lawr y grisiau yn fwy na dim arall. Cydiodd yn y canllaw a gallai deimlo'r tameidiau bychain o rwd dan ei law wrth iddo droedio'n araf o ris i ris.

Roedd y dyn yma'n mynd i fod yn chwithig, meddyliodd Sofia, ac roedd o'n cerdded i lawr y grisiau fel rhyw frenin yn ei balas, pob cam yn mynnu sylw. Onid oedd o'n sylweddoli ei bod hi ar frys? Roedd ganddi hi waith i'w wneud.

"Yma i weld yr adeilad, â chaniatâd yr esgob i wneud hynny."

Cyflwynodd ddarn o bapur â sêl yr esgob arno i law Ferdinand fel y cyrhaeddodd y gris olaf.

"Mae ganddo fo ffordd grand iawn o geisio dangos ei awdurdod," ebychodd yntau.

Edrychodd Sofia arno heb ddeall.

"Yr esgob."

"O... Eisiau gweld yr adeilad ydw i."

"Helpwch eich hun, peidiwch â disgwyl i mi afael yn eich llaw chi."

"Diolch."

A chan glecian ei sodlau cochion ar y marmor gwyn, dechreuodd grwydro ar hyd yr adeilad.

"Ond peidiwch â mynd yn rhy bell i'r stafelloedd efo bwcedi ynddyn nhw, does wybod pa mor fregus ydi'r llawr."

Llyncodd tywyllwch cefn y tŷ sŵn clecian y sgidiau coch. Roedd Ferdinand yn dal i sefyll ar y gris cyntaf, y llythyr swyddogol yn hongian yn llipa yn ei law dde a'i law chwith yn gorffwys ar waelod y canllaw. Canai cnul yn ei glustiau.

"Roedd Burgos yn odidog, ymhlith uchafbwyntiau y bererindod gyfan, Gabriela. Mi fydd y cilomedrau olaf wrth i ti nesu at y ddinas braidd yn ddiflas. Rwyt ti'n dilyn ochr y ffordd fawr. Ond wrth gyrraedd, paid â dilyn llwybr y pererinion; yn hytrach, gwna'n sicr dy fod yn cerdded i mewn drwy'r porth hynafol. Mae'r garreg yn olau, olau ac mae o'n borth sylweddol. Byddi di'n teimlo fel brenhines yn cerdded yn bwyllog o dan y bwa eang a'r cerrig nadd dan dy draed. Bron na elli di deimlo presenoldeb pererinion yr holl ganrifoedd sydd wedi troedio'r llwybr yma.

"Mae'r eglwys gadeiriol yn anhygoel, y tyrau pigfain uwchben y drysau godidog a'r tŵr mawr yn sefyll yn gadarn yng nghanol yr adeilad. Mi eisteddais i'n dawel fach ar ymyl y sgwâr yn syllu ar y garreg ddisglair. Roeddwn i wedi blino'n lân, ond eto roedd gweld yr eglwys yn fy nghodi a gallwn deimlo'r blinder yn diflannu. Fe fûm i yno am hanner awr dda. Wedyn dyma godi a cherdded i'r chwith at brif borth yr eglwys o dan y ddau feindwr. Roedd delw o Fair o flaen y porth, felly roeddwn wrth fy modd, fel y gelli ddisgwyl. Dyma gamu i mewn o'r haul godidog i'r adeilad helaeth, a threulio hanner awr fach mewn offeren, yr offeren hyfryta i mi fod ynddi ers amser maith. Gofala fod gen ti ddigon o amser i'w dreulio yn y gadeirlan, Gabriela. Paid â gwneud dim ar frys yno, neu byddi wedi colli bendith fawr.

"Wedi amser hyfryd iawn yn y gadeirlan dyma chwilio am y *refugio*, y Casa Peregrinos Penuel. Doedd o ddim yn hawdd dod o hyd iddo. Ond arnaf i roedd y bai, mi wnes i gerdded heibio'r lle sawl gwaith. Allwn i ddim credu mai'r adeilad yma oedd y *refugio*. Roedd o fel plas bach – adeilad mawr o garreg goch a phorth gosgeiddig ar ben grisiau marmor. Fe gerddais i heibio yn chwilio am yr adeiladau bach tlodaidd arferol. Roedd camu i mewn i'r Casa fel cerdded i mewn i balas: marmor gwyn ar lawr a grisiau hanner crwn yn codi o'r chwith. Roeddwn i'n sefyll yn gegrwth yng nghanol y cyntedd, a'm llygaid yn dilyn y grisiau i fyny ac i fyny i'r entrychion uwchben.

"'Mae o'n wych, yn tydi,' meddai llais dwfn o ganol tywyllwch cefn y Casa.

'Mae o'n odidog.'

'Dach chi ddim wedi cael *refugio* fel hyn o'r blaen.'

"Camodd gŵr canol oed mewn oferôls glas i oleuni'r cyntedd. Roedd ei wallt yn wyllt a gallwn daeru nad oedd wedi eillio ers tridiau neu bedwar, ond roedd anwyldeb yn ei lygaid gleision.

'Na, dim byd tebyg.'

'Un noson dach chi eisiau, neu dach chi am oedi am ryw ddiwrnod bach?'

'Roeddwn i'n meddwl mai un noson yn unig roedd rhywun yn ei gael.'

'Lle i ddangos croeso a chyfeillgarwch ydi *refugio*, nid lle i reolau caeth.'

'Wel, os caf i, mi arhosa i am ddwy noson felly.'

'A chan croeso i chi wneud hynny,' meddai yntau gan ffug foesymgrymu. 'Y pererinion ydi tywysogion a thywysogesau Casa Penuel.'

'Can mil diolch.'

'Gadewch i mi eich tywys i'ch stafell, y dywysoges...?' oedodd.

'Y dywysoges o Frasil.'

'Yr holl ffordd o Frasil? Rhaid cael stafell well na'r arfer i chi felly.'

"Dringodd y grisiau fel llanc, dri gris ar y tro. Dilynais innau gam wrth gam, nid gydag urddas tywysoges ond gyda choesau blinedig y pererin. Arweiniodd fi i stafell helaeth iawn ar y llawr cyntaf, stafell roedd ei ffenestri enfawr yn edrych dros y ddinas. Roedd rhyw ddeuoliaeth ryfedd yn urddas a chyfoeth yr adeilad, y plaster godidog ar y nenfwd a'r siandelïer gwych, y drysau derw sgleiniog, y paneli derw hardd o gwmpas y stafell, ond yna'r rhesi o wlâu bync rhad a'r blancedi llwydaidd drostynt.

'Y gwely gorau yn y Casa Penuel, fy nhywysoges,' meddai gan bwyntio at wely gerllaw y ffenestr hir gyferbyn â'r drws. Roedd yr olygfa orau yn y ddinas i'w chael o'r gwely hwnnw.

'Diolch. A'r pris am y fath foethusrwydd?'

'Pris? Na, na, bererin hoff, braint esgobaeth Burgos yw cael eich croesawu. Nid oes tâl.'

'Ond rhaid bod rhywbeth.'

'Na, mae'n hen draddodiad ac yn un fydd yma tra bydda i, does dim amheuaeth.'

'Rhodd 'ta?'

'Na, ein braint ni ydi cael eich croesawu.'

"Ac fe dreuliais i ddwy noson yn Burgos. Ar dy daith, mynna aros yn y Casa Penuel, ac os yw Ferdinand yn dal yno, cofia ddiolch iddo ar fy rhan. Fydd o ddim yn fy nghofio i, ond mi fydda i'n ddiolchgar iawn iddo am bopeth yn ystod y diwrnod a hanner hwnnw. Dywedodd wrtha i sut i ddod i nabod y ddinas, lle i fynd, beth i'w weld, pa eglwys i ymweld â hi – popeth.

"Cofia di, roedd o'n gallu bod yn blaen iawn ei dafod, ac roedd ar y pererinion ei ofn o. Rydw i'n cofio un Almaenwr, Hans, hogyn ifanc crwn, bochgoch, wedi ymlâdd ar ôl cerdded dros ddeg cilomedr ar hugain. Roedd o wedi cerdded drwy ryw fwd cochlyd yn rhywle ac fe gerddodd i fyny'r grisiau gan adael ôl ei draed arnynt yr holl ffordd. Rydw i'n cofio Ferdinand yn dilyn yr ôl troed, fel rhyw gi hela ar drywydd, ac yn mwmial dan ei wynt. Dyma fo'n cerdded i mewn i'r stafell ac at wely Hans. Roedd hwnnw wedi tynnu ei sgidiau erbyn hyn ac wedi mynd am gawod.

'Lle mae o?' cyfarchodd Ferdinand y stafell.

'Yn y gawod,' meddai llais bach diniwed.

'Reit,' oedd ei ymateb. A'r peth nesa i mi ei glywed oedd gwaedd o'r gawod wedi i Ferdinand ddiffodd y dŵr poeth. Yna, ac yntau'n gweiddi fel porchell bach, llusgwyd Hans yn syth o'r gawod at ei wely – roedd o wedi bachu tywel, diolch byth.

'Os ydw i eisiau dod â'r cae i'r tŷ mi wna i hynny efo rhaw,' meddai.

'Mae'n ddrwg gen i...' mentrodd Hans.

'Yn ddrwg gen ti?' gwaeddodd Ferdinand yn ôl, ac yn chwim fel ewig cydiodd yn sgidiau'r troseddwr a chydag un hyrddiad taflodd nhw drwy'r ffenestri mawr, dros y balconi, a chlywyd clomp y ddwy'n glanio ar y palmant o flaen y Casa.

'Fy sgidia i...' gwichiodd Hans, a chan ddal ei dywel yn dynn am ei ganol, rhedodd nerth ei draed allan o'r stafell ac i lawr y grisiau ac allan i'r stryd. Erbyn hynny roedd pawb, gan gynnwys Ferdinand, allan ar y balconi. Cododd Hans ei sgidiau a chwibanodd rhyw hoeden o bererin arno. Chwarddodd pawb, gan gynnwys Ferdinand. Troes Hans i wynebu'r balconi a bowio.

'A gofala lanhau'r rheina cyn dod â nhw 'nôl i mewn.'

'Wrth gwrs.'

'Ac mae 'na fwced a mop i ti lanhau'r grisiau yn y cyntedd.'

'Ar fy union.'

"Os bydd o'n dal yno, cofia fi at Ferdinand. Roedd o'n byw mewn dwy stafell fach yng ngwaelod y Casa."

Aeth Gabriela i'r eglwys yn blygeiniol yn San Juan de Ortega, nid bod gwasanaeth na dim yno. Heddiw byddai'n cerdded i Burgos, ac roedd Burgos yn gysgod mawr ar ei meddwl. Oedodd am yn hir, nid wrth yr allor ond wrth chwe phanel pren enfawr. Roedd Mair Forwyn yn dal ei phlentyn yn ganolbwynt i'r cyfan. Yna, bob ochr iddi, dau banel yn darlunio pererinion ffyddlon oedd wedi cwblhau eu taith ac olion ymdrech a gorfoledd ar eu hwynebau. Ond islaw roedd tri phanel pellach, eneidiau yn uffern, cyrff noeth yn wynebu dioddefaint tragwyddol am iddynt fethu cyflawni eu pererindod.

A chydag uffern yn ei meddwl y cychwynnodd Gabriela ar y

daith hir i gyfeiriad Burgos. Roedd dechrau'r daith yn gofyn am amynedd mawr, am fod y llwybr yn ei gyrru drwy goedwigoedd unffurf lled wastad, yn union fel y daith y diwrnod cynt. Yna, o'r diwedd, dyma gamu allan o'r coed i dir agored yr un mor unffurf, bryncyn ar ôl bryncyn a thir cochlyd dan draed. Ymhen hir a hwyr daeth pentref Atapuerca i'r golwg ar ben bryncyn bach cwbwl ddi-nod. Erbyn hyn byddai unrhyw fath o bentref wedi gwneud y tro i Gabriela, gan fod yr undonedd yn boen ar ei henaid. Dynesai at dai calchfaen golau'r pentref o gam i gam, a phan gyrhaeddodd y pererin rhwystredig far Paloma, roedd wrth ei bodd yn cael oedi wrth fwrdd bach y tu allan. Ceisiodd dau bererin a fu'n aros yn yr un *refugio* â hi yn San Juan godi sgwrs, ond prin y bu iddi eu cydnabod hyd yn oed.

"Bore da i chi," meddai llais y gweinydd. "Pererindod dda?"

"Bore da, ardderchog, diolch."

"Wedi cerdded yn bell bore 'ma?"

"Na, cyn lleied â chwe chilomedr, ond mae o braidd yn undonog."

"Arhoswch nes byddwch chi ar y Meseta. Diod? Bwyd?"

"Cwrw, os gwelwch yn dda, potelaid fach."

"Cwrw?"

"Mae lleianod yn yfed cwrw, wyddoch chi."

"Dwi ddim yn amau, dim ond 'mod i heb gyfarfod ag un o'r blaen."

"Dyna ni, dach chi wedi cael addysg bore 'ma felly."

"Wel do," meddai yntau, gan gilio 'nôl i gyfeiriad y bar a golwg dyn wedi cael braw arno. Cyn pen dim roedd y gweinydd wedi darganfod gwydryn bach reit ddelicet i'w gynnig iddi gyda'r botel o gwrw.

"Na, dim ond y botel," meddai hithau'n ffwr-bwt, ac am yr eilwaith ciliodd y gweinydd â'i gynffon rhwng ei goesau.

Roedd eistedd wrth fwrdd bach a photelaid o gwrw oer yn ei llaw yn nefoedd i Gabriela y funud honno. Roedd hi wedi rhoi'r gweinydd bach yn ei le mor rhwydd, ac yn awr gallai deimlo'r botel oer ar gledr ei llaw. Caeodd ei llygaid, gan orffwys rhag yr haul tanbaid. Arhosodd yno am sbel yn gwylio pererinion yn pasio, ambell un yn ei chyfarch, ond ni chaent ymateb.

"Gabi, tyrd, maen nhw'n barod," galwodd Tim o'r diwedd.

"Hen bryd, pam mae o'n cymryd oes i wneud rhywbeth mor syml?"

"Achos bod nhw eisiau i ni fod yn saff."

"Saff? Hanner y sbort ydi bod o ddim yn saff..."

"Be?" oedodd Tim am funud, a'i wyneb yn llawn anghrediniaeth.

"Dim ots, tyrd."

Cerddodd y ddau yn gyflym at geg y bont.

"S'mai," meddai'r llanc penddu hynod hyderus mewn acen Seland Newydd drom.

"Dach chi'n barod?" meddai Gabriela, gan ddynwared ei acen.

"Wrth gwrs," meddai hwnnw, heb fod yn rhy sicr sut i ymateb.

Roedd calon Gabriela yn rasio wrth iddi gerdded yn hyderus at ganol y bont gul. O syllu i lawr at ei thraed gallai weld y dyfnder islaw styllod bregus y bont. Roedd llif cyflym, ewynnog yr afon yn lapio am y creigiau llwydion, ond roedd y cyfan mor bell fel mai prin iawn oedd ei sŵn o'r bont. Ni wyddai a oedd Tim yn ei dilyn, ac a dweud y gwir nid oedd yn malio llawer wrth iddi nesu at y criw o ddynion ifainc hyderus oedd yn grŵp taclus ar ganol y bont.

"Eisiau i dy gariad fynd gynta, del?" gofynnodd un.

"Ti'n siarad efo fi?"

"Dim ond meddwl..."

"Paid, mae'n amlwg nad wyt ti wedi arfer."

Chwarddodd y tri llanc arall, tra plannodd Gabriela fflam ei dwy lygad ar y creadur.

"Sori," meddai'n llipa.

"Jyst cau hi tro nesa. Reit hogia, dowch 'laen i mi gael 'i neud o."

Ymhen dim roedd ei thraed wedi'u clymu a'r harnais cadarn wedi'i lapio am ei holl gorff bron. Gorweddai'r rhaff ar lawr wrth ei hochr fel neidr yn barod i neidio a llarpio.

"Wyt ti'n siŵr bo chdi eisiau gwneud hyn?" Llais Tim.

"Ydw siŵr."

"Rhaid i mi bwysleisio hyn hefyd," meddai'r un a'i clymodd yn yr harnais. "Fe allai hyn arwain at anafiadau difrifol na fedrwn ni eu rhagweld..."

"Fatha rhaff yn torri," ychwanegodd Gabriela gan wenu.

"Tebyg i *whiplash* ar ôl damwain car. Fatha gwaedlif ar yr ymennydd oherwydd y pwysedd sydyn. Fatha cur pen a migren oherwydd sioc..."

"Neu hitio fy mhen ar lawr!"

"Yr uchder ddim yn peri i chi newid eich meddwl?"

"Uchaf yn y byd, gorau yn y byd. Rŵan, ga i neidio?"

Heb air yn rhagor, tywyswyd hi at y llwyfan bychan oedd wedi'i godi'n bwrpasol er mwyn pellhau'r neidwyr oddi wrth y bont. Cydiodd y clymwr yn y rhaff a thynnu arni ddwywaith er mwyn sicrhau ei hun fod popeth yn sownd. Gosododd y neidr o raff ar lawr gan sicrhau nad oedd unrhyw rwystr ar ei ffordd. Edrychodd i fyw llygaid tywyll Gabriela.

"Ti'n barod?" a'i lais yn dal i arddangos y cyffro a'r ofn a deimlai wrth arwain pawb at y dibyn.

"Yn ysu am fynd," atebodd hithau.

Oedodd yntau am eiliad, croen gŵydd yn crwydro ei holl gorff, ac edrych ym myw ei llygaid eto. Nid oedd erioed wedi gweld neb mor ddi-ofn. Teimlai ei fod yn gallu mesur cymeriad pob neidiwr. Roedd rhai ag ofn am eu henaid, ac eto ofn bod yn gachgwn. Eraill yn sioe i gyd o flaen eu ffrindiau a rhai wedi'i wneud droeon ac eto'n mwynhau'r ofn. Ond roedd hon yn wahanol i bawb, yn neidio heb ofn, yn chwilio am wefr.

"Pan wyt ti'n barod felly."

Oedodd Gabriela am foment. Edrychodd i lawr at yr afon islaw.

Roedd hyn bron cystal â'r bererindod. Roedd gwefr honno yn wefr o bell rywfodd. Darllen yr hanes am y tân yn Saint-Jean, clywed am yr iogwrt a'i ganlyniad yn Zubiri ac am y darlithydd hwnnw, gŵr Cara. Doedd o ddim cystal â'r deuddydd yn Santo Domingo, ond wedyn roedd 'na gymaint o ddigwyddiadau ynghyd yn y fan honno. Gallai synhwyro anniddigrwydd Tim.

"Cau dy geg, Tim," meddai fel roedd hwnnw am gynnig iddi beidio llamu. Neidiodd yn osgeiddig fel deifiwr. Agorodd ei breichiau fel y croeshoeliedig. Daeth yr afon yn nes. Gallai glywed ei sŵn goruwch sŵn y gwynt yn ei chlustiau, gallai deimlo'i gwythiennau'n dynn, dynn. Daeth y dŵr yn nes ac yn nes; roedd hi'n anelu am graig lwyd yng nghanol yr afon. Yna cipiodd y rhaff hi gyda hergwd hegar, a phob tamaid o'i chorff yn teimlo'r plwc. Roedd hi fel 'sgodyn ar lein. Teimlodd ei hun yn dychwelyd i fyny, cyn plymio unwaith eto a'r hergwd yn llai yr eildro. Teimlodd fymryn o siom. Roedd hi wedi cael blas ar y llif o adrenalin. Daeth hergwd neu ddau arall wrth i'r profiad gilio'n araf bach, ac ar ôl munud neu ddwy roedd hi'n hongian yn llipa fel pendil cloc. Teimlodd y rhaff yn cael ei thynnu i fyny yn ôl at y bont. Roedd y cyfan drosodd. Penderfynodd ei bod am gael mynd yr eildro ar ei hunion.

"Na chei," meddai'r clymwr yn bendant.

"Pam?"

"Iechyd a diogelwch, a'r ciw. Mae cwsmer arall yn aros yn barod."

"Ond fydd dim angen ailglymu."

"Bydd, rhaid cadarnhau fod popeth yn iawn unwaith eto."

"Ond mae o wedi gweithio funud yn ôl."

"A beth petai rhywbeth wedi digwydd wrth i ti fynd i lawr?"

"'Na i dalu."

"Na."

Dechreuodd y llanc dynnu'r offer oddi amdani.

"Paid â 'nghyffwrdd i," meddai hithau'n ffyrnig.

"Mae'n rhaid tynnu'r offer."

"Mi fydda i'n ei dynnu, os nad wyt ti eisiau achos o gam-drin rhywiol."

"Y bitsh fach."

"Ti'n siŵr na cha i fynd eto?"

"Ydw, ac ar ben hynny chei di byth fynd eto chwaith. Rŵan tyn yr harnes yna a hegla hi."

"Dydi hi ddim yn ei feddwl o, wedi cynhyrfu mae..."

"Tim, am yr eilwaith, cau dy geg a phaid ag ymyrryd yn rhywbeth nad wyt ti'n ei ddeall."

Syllodd Gabriela i lygaid y clymwr, a heb dynnu ei llygaid oddi arno, tynnodd yr harnais yn araf awgrymog. Gyda phob symudiad roedd hi'n ei ddiarfogi a'i droi'n llipa a heb awdurdod.

"Diolch," meddai gan ddal i edrych arno ac estyn un tamaid bach o offer iddo.

Estynnodd yntau i'w dderbyn, ond yn fwriadol iawn gollyngodd Gabriela ef. Syrthiodd ar lawr y bont, ac yna, fel petai mewn ffilm araf, bownsiodd fel pêl a syrthio yr eilwaith, ond y tro hwn llithrodd rhwng styllod y bont.

"Wps. Biti garw."

Roedd y clymwr yn reddfol wedi mynd ar ei liniau i geisio achub ei offer. Syllodd i fyny i'w hwyneb, yn barod i'w cheryddu. Ond wrth edrych i mewn i'w llygaid teimlodd ofn yn cydio fel gelen ynddo.

Gwyddai Hernan fod rhaid i heddiw fod yn ddiwrnod trwm o gerdded. Roedd yn rhaid dod o hyd iddi cyn Burgos, ac roedd y daith fer iawn ddoe wedi rhoi dechrau sâl iddo. Felly roedd ar ei draed o flaen pawb ac yn cychwyn cerdded yn y tywyllwch ar ei ben ei hun. Nid oedd cychwyn mor fore â hyn yn drafferth nac yn beth newydd iddo. Roedd agor y siop am saith wedi golygu codi'n eithriadol o gynnar ar hyd y blynyddoedd. Rhoes y lamp dalcen fach yn ei lle a'i thanio. Ni thybiasai y byddai'n ei defnyddio, ond roedd hon yn fendith fawr am bump y bore. Yn fuan iawn diflannai'r cilomedrau'n hynod ddidrafferth. Gallai fwynhau'r tywyllwch, ac wrth iddi oleuo roedd y cysgodion yn rhyfeddol – pob coeden yn cynnig ei bwgan, a phob llwyn ei ysbryd. Gallai chwerthin yn iach ar bob un. Roedd yn gwbwl benderfynol ei fwriadau, ac ni fyddai dim oll yn ei rwystro. Gyda phob cam roedd yn cofio wyneb Maria.

"Dos â'r ddau iogwrt."

"Rhain sy'n gollwng fymryn?"

"Y rhai sydd â'u dyddiad yn dod i ben."

Chwarddodd Maria ei chwerthiniad direidus.

Roedd wedi ceisio cofio wyneb Gabriela ar ôl hynny. Cofiai'r bachgen gwallt melyn – roedd ei fochau coch a lliw ei wallt yn mynnu aros yn y cof. Breuddwydiai amdano, a'i wallt melyn wedi'i staenio gan ei waed ei hun. Gwyddai fod ganddi hi lygaid tywyll a gwallt fel y frân, ond roedd popeth arall wedi diflannu i anghofrwydd.

"Diolch, Hernan," meddai Maria a phlannu cusan ar ei foch.

Rhedodd ei fysedd ar hyd ei foch yr eiliad honno. Cododd mymryn o awel gan lithro drwy frigau'r coed gerllaw. Gwelodd dylluan yn sgubo heibio ar aden yr awel, a siffrwd rhyw greadur yn sleifio drwy'r llwyni a'r gwellt ar yr ochr chwith i'r ffordd. Oedodd am eiliad wrth synhwyro fod y wawr yn torri y tu ôl iddo. Trodd i weld rhimyn bychan o haul cochlyd yn gwthio dros y gorwel. Safodd yn llonydd wrth i'r llafnau golau hollti'r tywyllwch gan ddisgleirio ar y gwlith trwm, ac ni allai ddeall pam na fyddai pawb yn codi i weld y wawr bob dydd.

Roedd hi'n ddechrau'r prynhawn pan ddaeth y cerdded diflas â Gabriela i ganol sŵn traffig dinas Burgos. Roedd porth Santa

Maria yn hynod hardd a thrawiadol, er nad oedd Gabriela yn synhwyro unrhyw gwmwl tystion yn cydgerdded â hi dros y cerrig geirwon. Penderfynodd ymweld â'r eglwys gadeiriol yn gyntaf, cyn mynd i'r llety. Roedd y sgwâr yn drawiadol a muriau llachar y gadeirlan yn llosgi ei llygaid. Byddai'n rhaid iddi ddewis ymweld fel addolwr neu fel ymwelydd. Dim ond dau gapel bychan oedd wedi'u neilltuo i addolwyr felly dewisodd fod yn ymwelydd. Sythodd ei phenwisg cyn camu at y bwth talu.

"Bendith Duw a'r Forwyn Fair arnoch chi."

"Diolch, chwaer annwyl, bendith arnoch chwithau," meddai'r llanc wrth y ddesg.

"Un tocyn os gwelwch yn dda."

Estynnodd docyn iddi.

"Faint?" holodd hithau.

"Am ddim i chi a chithau'n lleian ar bererindod."

"Ydych chi'n siŵr?"

"Ydw."

"Diolch yn fawr iawn i chi."

Rhyfeddodd fod gwisg yn gallu cyflawni cymaint. Trodd i'r chwith i'r bwth tocynnau a dringo'r grisiau at borth bychan. Camodd i mewn i'r eglwys. Aeth popeth yn dywyll ac oer wrth i'w llygaid a'i chorff ddygymod â'r gwahaniaeth syfrdanol rhwng y sgwâr a'r tu mewn i'r eglwys. Roedd sŵn ei thraed yn ysgafn ar y cerrig oer a chlywid ambell glec drom wrth i ddrws gael ei gipio gan awel ac i'r sŵn atseinio drwy gilfachau'r adeilad gwych. Oedodd a syllu ar allor un o'r capeli. Yn uchel ar y mur roedd delw o Iago, Sant Iago ei hun, ar geffyl gwyn disglair, a chleddyf gwaedlyd yn ei law. Dan draed y march roedd cyrff y Mwriaid Mwslemaidd, a'r sant wrthi a'i ddeg ewin yn lladd ac yn difa. Nid oedd ei mam wedi crybwyll y cerflun yma. Synnai at hynny. Safodd yn hir yn syllu i lygaid yr Iago hwn, yn ddigon hir i sylwi fod pry copyn enfawr wrthi'n gwau ei we dros y cerflun llychlyd. Llithrodd hwnnw'n hamddenol braf ar hyd y cleddyf miniog yn chwilio am ei bryd nesaf.

Roedd coesau Hernan yn cwyno wrth iddo droedio, ei gefn yn galw am gael gwared ar ei sach a sŵn y traffig yn fyddarol bellach. Roedd Burgos o fewn cyrraedd, ac roedd yn argyhoeddedig ei bod hi, Gabriela, yno hefyd. Byddai'r daith yn talu ar ei chanfed. Styfnigrwydd a'i cariodd at furiau'r ddinas. Roedd sŵn ei sgidiau'n taro'r cerrig gan atsain ar hyd y strydoedd culion. Chwarddodd rhyw blentyn bach yr ochr draw i'r porth, a llithrodd deigryn bach o'i lygaid wrth iddo'i glywed. Mynnodd osod un droed o flaen y llall yn fecanyddol nes cyrraedd Casa Penuel. Nid oedd wedi breuddwydio gweld *refugio* mewn plas bach fel hwn. Gwefreiddiwyd Hernan gan y cyntedd rhyfeddol a'r grisiau marmor.

"Llety dach chi isio?"

Roedd hen ŵr blêr yr olwg yn sefyll yng nghanol y cyntedd.

"Os gwelwch yn dda."

"Golwg wedi ymlâdd arnoch chi."

"Diwrnod caled."

"O ble dach chi wedi cerdded?"

"Villafranca."

"Brensiach annwyl, dwi ddim wedi cael neb yn cerdded o'r fan honno mewn diwrnod ers blynyddoedd. Dach chi ar frys? Dowch, mae gen i le i chi ar y llawr cynta."

Cychwynnodd Ferdinand i fyny'r grisiau. Cydiodd yn dynn yn y canllaw, gan lusgo'i hun fesul gris. Roedd Hernan yn falch o'i arafwch ac yntau hefyd angen y canllaw erbyn hyn.

"Ydych chi'n llawn heno?"

"Na, na, bell o fod. Mae gynnon ni gant o wlâu."

"Sut bobl sydd 'ma heno?"

"Y cymysgedd arferol: Pwyliaid wrth y dwsin, Gwyddel neu ddau, a lot o Ffrancwyr."

"De America?"

"Oes, ambell un."

"Ac offeiriaid a lleianod, wrth gwrs."

"Na, dim un heddiw."

"Dim un?" Gellid clywed y siom yn llais Hernan. Roedd yn argyhoeddedig y byddai Gabriela yn Burgos. Teimlai i'r daith galed fod yn wastraff wrth i Ferdinand ddangos yr ystafell helaeth yn llawn gwlâu bync diaddurn.

"Prin ddau ddwsin sydd yma heno."

"Diolch," meddai a thaflu ei sach ar wely gerllaw'r drws. Roedd ei feddwl yn gwibio, a sylweddolai y byddai'n rhaid ailgynllunio popeth gan fod ei chyfarfod yn Burgos wedi bod yn hanfodol i'r cynllun. Eisteddodd ar y gwely heb yngan gair.

"Dach chi angen heddwch." Llusgodd llais Ferdinand ef yn ôl i'r ystafell.

"Mae'n ddrwg gen i. Ydw, dwi wedi blino'n arw, diolch i chi."

Nid oedd ei mam wedi methu wrth ddisgrifio'r Casa Penuel. Roedd yn adeilad a hanner. Camodd i fyny'r grisiau llydan at y drws mawr agored. Cododd ei phen yn uchel a cherdded yn dalog i mewn i'r adeilad. Gwibiodd ei llygaid i fyny'r grisiau hardd a throdd ei chorff i ddilyn y canllaw i ben ucha'r adeilad. Daeth hen ŵr gwyllt yr olwg allan o ystafell uwch ei phen.

"Llety i leian?"

Ac yntau'n eistedd ar ei wely, cododd clustiau Hernan.

"Ardderchog."

Nid oedd Hernan yn adnabod y llais – nid ei fod wedi disgwyl ei adnabod. Roedd o'n llais digon addfwyn.

"Os gallech chi ddod i fyny i fan hyn, y glun 'ma'n fregus."

"Chi sy'n gofalu am y lle godidog yma?"

Tybed a fyddai Ferdinand yn ei gosod yn yr ystafell hon, gan ei bod yn lleian? Fyddai hi'n rhannu ystafell gyda phawb? Clywodd sŵn traed syndod o fywiog ar y grisiau.

"Croeso i chi."

"Mae'r lle 'ma'n fendigedig. Roeddwn i wedi clywed pethau gwych amdano, a ches i mo'n siomi."

"'Dan ni'n gwneud ein gorau i blesio."

"Tybed a ga i ofyn ffafr?"

"Cewch siŵr, mae croeso i bob pererin ond croeso arbennig i leian. Dach chi wedi cerdded yn bell heddiw?"

"Na, ddim yn bell iawn. Meddwl oeddwn i, tybed a fyddech chi cystal â dangos gweddill yr adeilad gwych yma i mi?"

"Fawr i'w weld."

"Dwi'n siŵr bo chi'n camgymryd. Ga i adael fy mag yn rhywle...?"

"Dowch i fan hyn. Hon ydi'r unig stafell sydd gen i y dyddiau yma. O ble dach chi'n dod?"

"Brasil."

Daeth rhyddhad i wyneb blinedig Hernan. Trodd i syllu ar ddrws yr ystafell, ei holl gorff wedi deffro. Roedd y foment wedi cyrraedd. Daeth deng mlynedd o ddychmygu a phendroni i ben. Aeth cefn ei wddf yn sych, a gallai deimlo'i wythiennau'n pwmpio.

"Dyma ni. Mae'r gŵr wrth y drws fan hyn wedi cerdded yr holl ffordd o Villafranca heddiw."

Edrychodd y llygaid tywyll arno, y gwallt fel y frân dan orchudd y benwisg, ond nid ynganodd air.

"Doedd o ddim mor bell â hynny."

"Roeddech chi'n edrych fel cadach wrth lusgo eich hun i fyny'r grisiau."

"Ond dwi fel y gog erbyn hyn. O ble dach chi'n dod?"

"O San Juan."

"Na, yn wreiddiol."

"Brasil."

"Mewn cwfaint yno?"

"Na, yn Ffrainc."

"Pryd wnaethoch chi adael San Juan?"

Oedodd Gabriela. "Be ydych chi, newyddiadurwr?"

"Mae'n ddrwg gen i. Dangos diddordeb, dyna'r cyfan."

Daeth tawelwch anniddig dros yr ystafell. Nid oedd dim i'w glywed heblaw grŵn y traffig a sŵn curo ymhell i ffwrdd.

"Mae digon o wlâu i chi."

"Gymera i hwn," meddai Gabriela gan osod ei phethau ar y gwely agosaf at Hernan. Nid oedd y gwrthdaro bychan fel petai'n mennu dim arni.

"Rhowch bum munud i mi ac yna fe gewch chi daith ddethol drwy'r lle. Braint i leianod o Frasil yn unig."

"Ac fe fydd hi'n fraint."

Gwenodd Ferdinand, gwên dyn wedi'i fodloni'n rhwydd gan weniaith.

"Roedd y cilomedrau diwethaf yn lladdfa," mentrodd Hernan.

"Mmmm."

"Digon tebyg i'r cilomedrau olaf i mewn i Pamplona."

"Mae 'na beth amser ers i mi wneud y daith honno."

"O?"

"Newydd ailafael ynddi ydw i."

"Ymhle?"

"Santo Domingo. Dach chi wedi dechrau eto."

"Be?"

"Holi."

"Mae'n ddrwg gen i. Hen arferiad anghwrtais."

"Popeth yn iawn, ond peidiwch disgwyl cael ateb bob tro."

"Na."

"Deng mlynedd o saib. Ymuno ag urdd. Ac wedyn teimlo'r angen i ailafael. Roedd 'na dasg i'w chwblhau."

"Ydach chi am wneud y daith gyfan tro yma?"

"Wn i ddim eto."

Daeth y sgwrs i ben. Er bod gan Hernan ddigon i'w ofyn, nid oedd yn meiddio. Aeth Gabriela i estyn ei sach gysgu a threfnu ei phethau tra ceisiodd Hernan ailafael yn ei lyfr. Er bod ambell bererin yno, y funud honno roedd pawb yn fud. Cododd Gabriela a mynd i chwilio am y gawod. Roedd Hernan wedi gweld a phrofi'r cyfarfyddiad yma ganwaith, filgwaith drosodd, ond nid oedd wedi dychmygu sut beth fyddai siarad â pherson real, person fyddai yn ei ateb yn ôl. Ni fyddai pethau cyn hawsed ag y dychmygodd, ac eto gwyddai fod yn rhaid iddo gyflawni'r dasg nesaf. Pan ddychwelodd Gabriela roedd wedi ystyried beth i'w ddweud a gobeithiai ei fod yn gwybod sut i'w ddweud.

"Ydych chi eisiau ymuno efo mi am bryd o fwyd?"

"Rydach chi'n gwahodd lleian am swper?"

"Ydw, pam?"

"Ddim wedi digwydd i mi ers achau."

"Rhywbeth bach syml."

"Paid â mynd, Gabriela."

"Pam, Mama?"

"Ddaw dim da ohono fo."

"Pam?"

"Rydan ni wedi colli dy dad, ein lle ni ydi dangos galar addas."

"Ond mae o wedi marw ers blynyddoedd. Siawns nad ydi dyddiau galar drosodd bellach."

"Rhag cywilydd i ti, yn siarad mor ddi-hid o goffadwriaeth dy dad, ac yn ddi-hid o'i ddioddefaint yn y purdan."

"Mama, plis, peidiwch â mynd â ni 'nôl i hynna eto."

"Rwyt ti'n fy siomi i."

"Mama, dwi'n mynd allan am dro efo hogyn, dim byd arall."

"Rwyt ti'n anufudd."

"Nid plentyn ydw i. Dwi wedi tyfu, dwi'n ddigon hen i genhedlu plant..."

"Ond yn dal yn anufudd."

"Esgusodwch fi." Llais Ferdinand.

"Popeth yn iawn?"

"Ydyn siŵr. Ydach chi'n dal eisiau cael golwg ar yr hen le?"

"Wrth gwrs."

"Lle dechreuwn ni felly? Lawr grisiau dwi'n meddwl."

Llusgai Ferdinand ei hun o'i blaen. Roedd ei glun yn hynod boenus, a theimlai bron fel petai'n clywed dau asgwrn yn crafu yn erbyn ei gilydd. Tynnai anadl drwy ei ddannedd ar ambell gam a gollyngai ebychiad bychan wrth godi pwysau ei gorff oddi ar y glun ddrwg. Ond er bod ei glun yn boenus roedd o'n teimlo fel ceiliog balch, yn mwynhau'r cyfle i ddangos yr adeilad i westai arall.

"Fe godwyd y lle fel tŷ haf tua diwedd y ddeunawfed ganrif. Mae o wedi'i osod ar fryn, bryn oedd tu allan i'r ddinas ar y pryd. Roedd pobl eisiau gadael gwres llethol y ddinas a dod i fan lle roedd 'na awel. Dyna pam mae'r ffenestri mor fawr yn y tu blaen a'r cefn, er mwyn gallu tynnu awel drwy'r adeilad. Roedd y perchennog, Francis De Voel, yn dirfeddiannwr cyfoethog o gyrion y ddinas. Wedi iddo godi'r tŷ haf fe dyfodd y ddinas i'r cyfeiriad yma."

Roedd Ferdinand wrth ei fodd yn cael gwrandawiad mor frwd. Nid oedd neb wedi dangos ffeuen o ddiddordeb yn hanes y lle ers amser maith. Difetha hanes ar amrantiad, dinistrio'r dreftadaeth yn gwbwl ddifalio oedd bwriad y penseiri fu'n mesur y lle. Roedd hon yn gwrando'n astud.

"Ychydig iawn o'r stafelloedd fedrwn ni eu defnyddio ar hyn o bryd, oherwydd cyflwr y to. Ar ddiwrnod glawog rydw i fel cath ar darannau yn ceisio gwagio bwcedi mewn degau o stafelloedd. Felly fyddwn ni ddim yn medru mynd i mewn i bob stafell."

"Lwcus nad ydach chi'n cael lot o law felly."

"Lwcus iawn."

Roedd ystafelloedd dirifedi ym mherfeddion y tŷ, a'r gegin yn edrych fel petai heb ei chyffwrdd ers degau o flynyddoedd. Sylwodd Gabriela ar y gwe pry cop trwchus yn orchudd llychlyd ar y sosbenni copr oedd yn hongian uwchben bwrdd y gegin. Yn llenwi un mur roedd stof a lle tân yn rhwd trwchus.

"Does neb wedi coginio fan hyn ers blynyddoedd."

"1859, y chweched o Orffennaf."

"Sut gwyddoch chi mor bendant?"

"Dyddiad marwolaeth sydyn wyres Francis De Voel. Roedden nhw wedi symud yma ers rhyw fis ac roedd Marta yn ddeg oed. Roedd hi'n ferch fach hynod o hardd ac yn fywiog dros ben. Ar fore'r chweched o Orffennaf fe aeth hi i'r gegin, gan ei bod hi'n ffrindiau mawr efo'r cogydd. Doedd neb yn y gegin, ac nid oes neb yn gwbwl sicr beth ddigwyddodd wedyn, ond ddeng munud yn ddiweddarach fe ddychwelodd y cogydd a darganfod Marta ar lawr o flaen y stof mewn pwll o waed. Mae'n fwy na thebyg ei bod hi'n cario cyllell ac wedi baglu ar stôl deirtroed gwas bach y grât a syrthio ar y llafn. Penderfynodd ei thaid na fyddai o na'r un o'r teulu byth yn dychwelyd yma, ac na fyddai'r gegin yn cael ei defnyddio byth wedyn gan unrhyw un."

"Ond sut daeth y lle yn *refugio*?"

"Fe gyflwynodd Francis y lle i Esgob Burgos er mwyn croesawu pererinion ac er cof am Marta, ac fe'i galwodd yn Penuel – gweld wyneb Duw."

Aeth y ddau ymlaen â'u taith drwy'r adeilad. Sylwodd Gabriela fod Ferdinand yn byw mewn dwy ystafell yr ochr draw i'r gegin, dwy ystafell fechan dlodaidd yr olwg a phob math o sothach wedi'u pentyrru ym mhob twll a chornel. Roedd y Casa ei hun mewn cyflwr truenus: y plaster yn syrthio oddi ar y muriau, darnau o gerfiadau cywrain wedi cwympo oddi ar y nenfydau a siandelïer neu ddau yn ymddangos yn drist a difywyd wedi'u gollwng ar lawr. Ond roedd Ferdinand yn dal yn hynod frwdfrydig a balch o'r lle er gwaethaf ei gyflwr, a gogoniant y gorffennol yn dal i feddiannu ei feddwl.

"Gawn ni fynd i'r llawr uchaf un?" holodd Gabriela wrth droed y grisiau tro a wefreiddiai bawb a ddeuai yno.

"Does fawr i'w weld yno, dim ond stafelloedd bychain ar gyfer y gweision," ymesgusododd Ferdinand.

"Ond mi fydd y golygfeydd dros y ddinas yn wych."

"Na, fawr gwell na'r llawr yma."

"Ond heb weld llety'r gweision a'r morynion dydi rhywun ddim wedi gweld y tŷ," meddai Gabriela gan ddringo'r grisiau.

Llusgodd Ferdinand ei hun yn gyndyn i fyny'r grisiau ar ei hôl, gan ddal y canllaw bregus yn ei law.

"Y grisiau'n dal yn farmor, ac yn dal yn rhan o'r cylchdro sy'n cychwyn yn y gwaelod acw."

"Marmor i'r gweision a'r morynion yn ogystal felly."

Wedi cyrraedd pen y grisiau, roedd hi'n amlwg fod Ferdinand yn dweud y gwir. Yno roedd dwsinau o ddrysau bychain, bron fel celloedd, a bwcedi wedi'u gosod yn ofalus ar hyd y coridor.

"Y to'n gollwng."

Roedd curo rhyfedd yn dod o ben draw'r coridor, curo ysgafn, cyson.

"Be ydi'r sŵn 'na?"

"Ffenestr wedi'i gadael yn agored mae'n rhaid. Dim o bwys."

Cerddodd Gabriela ar hyd y coridor tywyll ac agor drws ar y chwith. Llifodd goleuni'r haul, oedd yn tynnu at fachlud, trwyddo. Cerddodd ar flaenau ei thraed, bron fel petai'n ofni symud gwe'r pry cop. Cyrhaeddodd y ffenestr a syllu ar ogoniant y ddinas islaw. Roedd tyrau'r eglwys gadeiriol yn amlwg a'r ochr draw roedd porth Santa Maria a baneri'n chwifio'n fywiog uwch ei ben. Ond roedd y curo cyson yn parhau. Trodd ar ei sawdl a cherdded yn bendant at ddrws yr ystafell lle'r oedd y curo. Tynnodd y bachyn ar yr ochr allanol ac agor y drws mewn un symudiad cyflym cyn camu i ganol yr ystafell. Clywodd sgrech annaearol.

"Peidiwch a gwneud dim i mi, plis..."

"Pwy?"

Yno roedd gwraig broffesiynol yr olwg, ei dillad yn llychlyd a sgidiau coch am ei thraed, yn eistedd yn un swp yng nghanol yr ystafell yn dyrnu'r llawr.

"Dach chi wedi'n achub i..."

"Eich achub chi?"

"Mae'r hen ddyn 'na wedi..." Ar hynny dyma sgrech arall wrth iddi weld Ferdinand yn sefyll yn y drws. "Mae hwnna wedi fy nghloi i yma."

"Brensiach annwyl, be dach chi'n wneud fan hyn? Roeddwn i'n credu eich bod chi wedi hen adael."

"Dach chi'n iawn," cysurodd Gabriela hi. "Pwy ydach chi?"

"Sofia Sanchez, pensaer i gwmni LGD..."

"Ydach chi'n iawn?" holodd Ferdinand.

"Peidiwch â dod yn agos, a pheidiwch â meiddio meddwl y gallwch chi actio'n ddiniwed..."

"Wnes i ddim byd. Mae'n rhaid bod y gwynt wedi cau'r drws yn glep."

Erbyn hyn roedd Sofia yn beichio crio.

"Dwi wedi bod yma ers ben bore..."

"Mae popeth yn iawn rŵan," meddai Gabriela.

"Iawn? Iawn?" Trodd y dagrau'n dymer flin. "Does 'na ddim byd yn iawn am hyn. Mae'r dyn yn wallgof, yn wallgof."

"Does dim eisiau cynhyrfu..."

"A chithau wedi 'nghipio i?"

"Peidiwch â rwdlan, ddynas..."

"Ewch o'r ffordd, dwi'n gadael, ond peidiwch chi â phoeni, bydda i 'nôl – efo plismon. Chaiff ryw wallgofddyn fel chi ddim y llaw uchaf ar Sofia. Byddwch chi o flaen eich gwell cyn diwedd yr wythnos."

A chan glicio'i sodlau cochion, gwibiodd heibio i Ferdinand wrth y drws, a chyda phendantrwydd rhywun mewn tymer ddrwg diflannodd yn ei sodlau uchel i lawr y grisiau marmor.

"Beth oedd hynna?" holodd Gabriela.

"Fe ddaeth hi yma'r bore 'ma, eisiau mesur y lle. Mae'r esgob eisiau gwerthu i ryw gwmni datblygu. Roedd hi yma ar ran un o'r prynwyr. Roeddwn i wedi gadael iddi wneud ei gwaith. Mae'n rhaid bod y drws wedi cloi ei hun – yn y gwynt neu rywbeth."

"Doedd hi ddim yn gweld pethau fel yna."

"Na, doedd hi ddim. Ydach chi wedi gweld digon?"

"Ydw, dwi'n meddwl. Oes llawer o bobl yn cael y daith hanesyddol yma?"

"Dim ond ambell un go arbennig."

"Rydw i'n freintiedig felly."

"Fe ellid dweud hynny."

"Ers faint dach chi'n edrych ar ôl y lle?"

"Gormod o amser o beth wmbreth."

"Dach chi'n cofio'r pererinion dach chi wedi'u croesawu?"

"Ambell un."

"Pwy?"

"Brensiach annwyl, rydach chi'n holi rŵan… Na, neb penodol yn dod i'r cof… Dwi wedi blino gormod i gofio neb."

"Oes gynnoch chi deulu?"

"Na, neb erbyn hyn. Dyna pam 'mod i mor chwithig a chysetlyd."

"Chi ddwedodd, nid fi."

"Dowch, mi awn ni 'nôl i lawr. Mi fyddwch eisiau tamaid i'w fwyta."

Camodd y ddau yn ôl i'r coridor.

"Rhyfedd sut roedd y gwynt wedi cloi'r drws," meddai Gabriela wrth gau drws yr ystafell.

"Rhyfedd iawn," cytunodd Ferdinand gan ddechrau llusgo'i glun boenus i gyfeiriad pen y grisiau.

O ben y grisiau syllodd Gabriela i lawr i'r cyntedd marmor hardd. Roedd popeth mor fach yn y gwaelodion. Teimlai fel petai'n gadael ei chorff, yn codi goruwch popeth, yn edrych i lawr arni hi ei hun a Ferdinand ar y grisiau, a'r haul yn machlud yn felyn gynnes ar y muriau budron. Roedd y marmor yn llachar a'r canllaw haearn a phren yn llifo i lawr yn rhwydd. Prin bod Ferdinand wedi troedio'r tri gris cyntaf, ei law'n cydio'n dynn yn y canllaw, pan deimlodd ddwy law ar ei ysgwydd.

"Byddwch yn ofalus, mae'r grisiau'n hynod o serth."

"Mi gymra i ofal, peidiwch â phoeni dim."

"Ac mae'r canllaw yma'n fregus iawn."

Roedd y ddwy law yn pwyso'n drymach ar ei ysgwyddau. Teimlai boen ddifrifol yn ei glun.

"Peidiwch â phwyso..."

Ond roedd hi'n pwyso fwyfwy. Teimlai Ferdinand ei bengliniau'n gwegian. Roedd ei nerth yn diflannu a theimlai'n ansicr ei draed. Yna dyma'r ddwy law yn gollwng eu gafael. Ochneidiodd, gan lacio'i afael yn y canllaw a throi i edrych arni. Roedd am ei holi. Ond daeth hergwd ffiaidd o galed o dan ei ddwy ysgwydd. Teimlai ei hun yn syrthio. Ceisiodd gydio yn y canllaw, ond torrodd hwnnw yn ei law. Er bod popeth yn digwydd yn araf bach, eto ni allai wneud dim oll i rwystro ei gwymp. Trawodd ei ben yn erbyn y marmor oer ac atseiniodd sŵn cracio drwy'r adeilad. Gallai glywed sŵn gweiddi, sŵn ei lais ef ei hun yn atsain i lawr y grisiau a thrwy'r cyntedd mawr. Teimlai boen ddirdynnol yn gwibio drwy ei gorff, a hylif cynnes yn llifo dros ei wyneb. Syrthiai'n bendramwnwgl i lawr y grisiau godidog, ei gorff fel doli glwt, ei goesau a'i freichiau'n cael eu taflu yn erbyn y canllaw a'r mur a'i ben yn hyrddio drosodd a throsodd yn erbyn y marmor. Daeth y cyfan i stop ddau lawr islaw, ei gorff wedi'i blygu'n grotésg a phwll o waed yn ffurfio dan ei foch chwith ar y gris isaf. Syllai ei lygaid marw ar ogoniant y marmor.

Rhoes Gabriela sgrech a honno'n atsain drwy'r adeilad. Islaw daeth dwsin a mwy o bobl allan i waelod y grisiau.

"Mae o wedi syrthio, galwch ambiwlans," gwaeddodd arnynt.

Erbyn hyn roedd yr adeilad cyfan yn fyw. Rhedai pobl i fyny'r grisiau, tra cerddai Gabriela i lawr yn araf a phwyllog.

"Waeth i ti heb gael ambiwlans."

"Mae o wedi mynd."

"Creadur."

"Doedd o ddim ffit i gerdded grisiau mor serth."

"Ydych chi'n iawn?"

Rhoddodd Hernan gôt dros ei hysgwyddau.

"Ydw, diolch... Wedi fy ysgwyd dipyn."

"Be ddigwyddodd?"

"Mi oedd... mi oedd o'n cychwyn i lawr y grisiau... a'r peth ola ddwedodd o... 'Cymerwch ofal... mae'r canllaw'n fregus...' a'r peth nesa mi faglodd... a dwi ddim isio cofio'r peth."

"Nag oes siŵr, popeth yn iawn."

"Roedd o'n ofnadwy... ei weld o'n syrthio... a methu gwneud dim ond gwylio."

"Bydd yn rhaid galw'r heddlu."

"Bydd, siŵr."

"Ydych chi eisiau llymed o rywbeth, i dawelu'r nerfau?"

"Ia, plis. A mynd o olwg y grisiau yma."

Roedd yr heddlu yno mewn dim, a daeth ambiwlans hefyd. Nid bod angen hynny, gan fod Ferdinand yn farw. Hysbyswyd y pererinion na fyddai modd iddynt aros yn Casa Penuel y noson honno ac y byddai'n rhaid iddynt ddod o hyd i lety arall. Nid oedd y mwyafrif yn gallu cyfrannu dim i'r ymchwiliad gan eu bod yn yr ystafell wely fawr pan syrthiodd Ferdinand.

Ond bu'n broses hir, cymryd enw, cyfeiriad a rhif ffôn pawb. Glynodd Hernan wrth ymyl Gabriela am awr os nad dwy tra bu'r swyddogion yn archwilio lleoliad y ddamwain.

Ymchwilio i ddamwain fel hyn oedd y peth olaf roedd Angelic Dumas ei eisiau. Roedd hi'n ddiwedd y pnawn ac roedd ei merch fach, Hannah, newydd ddechrau yn yr ysgol gynradd. Bob dydd byddai'n brysio adref.

"Hannah… Mae Mam adra."

"Pwy sydd 'na?"

"Fi."

"Mae Miss yn dweud nad ydw i ddim i fod i siarad efo pobl ddiarth."

"Tyrd yma, y clap drwg."

Ac yna'r ddwy'n wên o glust i glust, yn cofleidio a chwtsio ar y soffa.

"Be fuost ti'n wneud heddiw?"

Oedi hir, ei bys ar flaen ei gên a'i gwefusau bach wedi'u gwasgu'n dynn.

"Dwi ddim yn cofio."

"Wyt ti wedi anghofio'n barod?"

"Dwi'n mynd rŵan." Llais mam Angelic.

"Ta ta, Nain."

"Diolch, Mam."

A sŵn chwerthin Hannah yn llenwi'r tŷ gwag.

Ond heddiw roedd hi wedi gorfod codi'r ffôn ar ei mam, er mwyn siarad efo Hannah.

"Pryd fyddi di adra, Mam?"

"Cyn gynted ag y medra i…"

"O…" a'r siom yn ei llais, a chysgod deigryn yn llygad Angelic.

“Rydw i’n gwybod eich bod chi wedi dychryn, ond tybed fedrwch chi ddweud wrtha i be yn union ddigwyddodd?”

“Roedden ni’n cychwyn i lawr y grisiau…”

“Ond pam roeddech chi ar y llawr uchaf? Does ’na ddim llety yno.”

“Roedd Ferdinand wedi cynnig dangos yr adeilad i mi.”

“Pam?”

“Roeddwn i wedi gofyn iddo.”

“Ac roeddech chi wedi bod ar y llawr uchaf?”

“Roedd Ferdinand wedi cynhyrfu braidd…”

“Pam?”

“Wedi i mi agor drws y stafell ’na lle’r oedd y ddynes efo’r sgidiau coch… roedd hi wedi rhedeg heibio i ni’n chwythu bygythion ato fo…”

“Dwi ddim yn deall…”

“Doeddwn i ddim chwaith, ond pan wnes i ddatgloi’r drws dyna lle’r oedd hi. Rhaid bod y drws wedi cloi y tu ôl iddi meddai Ferdinand ond… dwi ddim yn siŵr… Yn ôl y ddynes roedd Ferdinand wedi’i chloi hi yno…”

“Ond pwy oedd hi?”

“Wn i ddim. Sofia dwi’n meddwl roedd hi’n galw ei hun. Dwedodd hi rywbeth ei bod hi’n bensaer a rhywbeth am yr esgob eisiau gwerthu’r lle yma.”

“Oedd Ferdinand wedi’i chloi hi yn y stafell?”

“Wn i ddim. Ond roedd hi wedi’i fygwth ac wedi gweiddi arno fo ac mi oedd o’n crynu cryn dipyn pan wnaethon ni gychwyn i lawr y grisiau. Roedd o’n siarad efo fo’i hun a cheisio brysio yr un pryd, a dyna pryd y baglodd o. Roedd o ar gymaint o frys, fe wnaeth o hanner hedfan i lawr y grisiau, gan daro ei ben sawl gwaith. Fe redais i ar ei ôl o, ond…”

Oedodd Gabriela wrth iddi sylweddoli fod llygaid pawb yn syllu arni. Cymerodd anadl ddofn. Crynai ei gwefus isaf a brathodd y wefus honno.

"Peidiwch, mi wnawn ni adael pethau yn fan yna am heddiw," meddai Angelic. "Mi fydda i eisiau i chi wneud datganiad swyddogol bore fory, os gwelwch yn dda."

"Ond…"

"Fyddwn ni ddim yn hir, awr fach. Oes gynnoch chi gwmni heno?"

"Na… teithio fy hun ydw i…"

"Mae croeso i chi aros efo ffrind i mi," ymyrrodd Hernan. "Rydach chi angen cwmni heno."

"Diolch," ymatebodd Gabriela, ag ychydig o syndod yn ei llygaid.

Roedd Hernan yn syfrdan iddo allu cynllunio mor chwim.

"Ac os gallwch chi ddod i orsaf canol y ddinas erbyn deg bore fory?"

"Popeth yn iawn."

"Reit, hogia," trodd Angelic at y llu heddlu oedd yno. "Lluniau, mesuriadau ac yna'r corff i'r morg os gwelwch yn dda."

Aeth pawb at ei waith gan adael Hernan a Gabriela yn syllu ar y prysurdeb.

"Does dim rhaid…" meddai Gabriela wrth Hernan.

"Wrth gwrs bod rhaid," meddai yntau, "peth lleia fedra i wneud. Mi wn i be ydi mynd drwy sioc fel hyn, ac mae rhywun angen cwmni."

"Os oes gynnoch chi lety…"

"Mae fy ffrind yn byw mewn fflat heb fod ymhell. Dydi o fawr o le – maen nhw'n trwsio'r adeilad ar hyn o bryd. Dyna pam roeddwn i'n aros fan hyn heno. Ond mi fydd o'n do uwch ein pennau ni."

"Os oes 'na wely, fydda i ddim yn poeni sut le ydi o."

"Dowch, fe awn ni."

Troes y ddau a cherdded i lawr y grisiau. Cymerodd Gabriela un cip yn ôl wrth gychwyn, a thrwy'r canllaw haearn bwrw gwelodd gorff llipa Ferdinand yn cael ei osod mewn sach ddu. Diferai gwaed o gongl ei geg ac roedd ei ben yn un clais enfawr. Roedd ei fraich yn hongian yn llipa a'i ysgwydd yn amlwg wedi'i thorri'n ddarnau. Trodd ei sylw at y grisiau. Roedd Hernan wedi oedi hefyd, ac yn sefyll yno'n syllu arni hi'n syllu ar y corff.

Diolchodd nad oedd wedi gwenu. Roedd y ddau ar ben y grisiau, Hernan o'i blaen. Gwibiodd un peth drwy'i meddwl – gwelai'r canllaw'n torri a chorff yn ymbalfalu, yn nofio yn yr awyr, y panig yn llenwi'r lle. Oedodd. Roedd ei dychymyg yn aros am sŵn anorfod crac yr esgyrn.

"Awn ni i nôl ein bagiau."

"Ia." Nid yr eiliad hon oedd yr amser i weld ail ddamwain. Gwenodd ynddi ei hun; gwell fyddai bod yn ddoeth.

iv. Llety

Ni fu'r ddau yn hir cyn casglu eu heiddo ac ailbacio'r sachau. Camodd y ddau i lawr y grisiau marmor, Hernan yn cydio yn y canllaw a Gabriela yn syllu i lawr at y cyntedd.

"Ydi'r fflat yn bell?"

"Na, gerllaw yr eglwys gadeiriol."

"Mi welwn ni chi fory." Daeth llais Angelic o'r entrychion. Syllodd Hernan i fyny, wedi'i ddychryn.

"Popeth yn iawn," atebodd Gabriela'n ddigon didaro.

Roedd hi'n lled dywyll ar y stryd y tu allan, y noswaith wedi cripian atynt. Er bod ceg Hernan wedi sychu'n grimp, eto roedd ei ddwylo'n annymunol o chwyslyd. Teimlai ei goesau'n wan gan fod gweld y diferion gwaed yng nghornel ceg Ferdinand a'i ysgwydd lipa wedi'i ddychryn. Tybed oedd o wedi ystyried popeth? Roedd o'n chwarae efo tân.

Y noson honno, wrth i'r ddau droedio'r palmant yn dawedog iawn, roedd y strydoedd yn gymharol dawel. Curai calon Gabriela yn gyflym, a gallai ail-fyw'r foment sawl gwaith. Teimlai ysgwyddau esgyrnog Ferdinand dan ei bysedd, gallai fyseddu ei gyhyrau a'i ewynnau, gallai deimlo ei ansicrwydd wrth i'w dwylo cynnes oedi ar ei ysgwyddau, yna cofiodd yr hergwd. Ei gorff yn dychryn gan mor annisgwyl oedd y cyfan. Gwelai ei ddwylo'n ymbalfalu am y canllaw a'r corff yn syrthio, clywai'r pen yn taro'r marmor, crac yr ysgwydd wrth i'r fraich gael ei dal yn y canllaw, a gwelai'r corff llipa yn rholio i lawr y grisiau. Roedd y gwaed yn pefrio drwy ei gwythiennau wrth iddi ail-fyw'r cyfan.

"Fasa'n well i ni gael rhywbeth i'w fwyta?"

Nid oedd Hernan wedi disgwyl hynny. Roedd ei feddwl ar yr hyn a wnâi ar ôl cyrraedd y fflat.

"Ia, am wn i," atebodd yn llipa.

"Wn i ddim amdanoch chi, ond rydw i'n llwgu."

Ni fyddai'n disgwyl hynny gan leian, ond wrth gwrs, gwyddai nad lleian oedd hon.

"Mi wnaiff y bar yma'n ardderchog," meddai Gabriela gan gydio mewn cadair ar ymyl y palmant, tynnu'i sach oddi ar ei chefn ac eistedd wrth fwrdd bychan.

Nid oedd gan Hernan ddewis ond dilyn ei hesiampl. Gwyddai fod yn rhaid bod yn ofalus; roedd fel trin nadredd, ni wyddai pryd y byddai'n taro.

"Noswaith dda, bererinion, mae'n ddrwg iawn gen i ond does gynnon ni ddim bwydlen pererinion."

"Popeth yn iawn, mi wnawn ni fwyta unrhyw beth," atebodd Gabriela, ei llygaid duon yn chwarae â'r gweinydd.

Ni wyddai hwnnw sut i ymateb. Nid oedd lleianod yn arfer fflyrtio fel roedd hon yn ei wneud.

"O ble rwyt ti'n dod felly?"

"O Burgos ei hun."

"O... hogyn y ddinas 'dan ni... hogyn sydd wedi byw..."

"Gawn ni fwydlen y dydd i'r ddau ohonom?" ymyrrodd Hernan.

Gwenodd y gweinydd arno a rhyddhad yn ei ochenaid.

"Popeth yn iawn, siŵr."

Gadawodd y gweinydd ar frys.

"Doedd gynnoch chi ddim hawl i wneud hynna."

"Mae'n ddrwg gen i, doeddwn i ddim yn meddwl. Ydach chi eisiau i mi alw'r gweinydd yn ôl?"

"Na, mae hi'n iawn."

Ac mewn tawelwch y bu'r ddau yn llygadu ei gilydd wrth aros am y bwyd. Nid oedd y naill na'r llall yn gallu darllen camau nesaf ei gilydd. Gwyddai'r ddau fod yna rywbeth ar y gweill, ond ni wyddent yn iawn beth ydoedd.

Ni fu'r pryd yn hir cyn cael ei weini iddynt. Bwytaodd y ddau heb prin dorri gair. Aeth criw o ieuenctid digon anystywallt heibio yn gweiddi a chwerthin. Troesant eu sylw at y cwpwl od oedd yn bwyta wrth fwrdd ar y palmant, y lleian a'r hen ŵr. Ond ni chymerodd yr un o'r ddau fotwm corn o sylw ohonynt. Diflasodd y criw a gadael, ac aeth y ddau ymlaen i fwyta'n fecanyddol a mud.

"Hwn ydi o?" holodd Gabriela wrth sefyll dan fondo'r tŷ. Roedd sŵn siom yn ei llais.

"Ie," atebodd Hernan, "fawr i edrych arno, ond mae o'n glyd."

Roedd o'n dŷ helaeth, pedwar llawr, ar y mymryn sgwâr gyferbyn â blaen yr eglwys gadeiriol. Roedd yn adeilad anarferol â dwy ffenestr helaeth ar bob llawr, ffenestri bwa enfawr yn ymestyn o'r llawr i'r nenfwd. Felly, i bob pwrpas, roedd rhannau o flaen y tŷ yn ymddangos fel gwydr yn unig. Ond roedd amser a diofalwch wedi gadael eu hôl ar y lle. Sylwodd Gabriela fod dybryd angen paent ar y ffenestri gwych, bod ambell baen wedi torri ac ambell un arall wedi cracio. Roedd plaster wedi syrthio oddi ar dameidiau o wal a mwsog yn cripian ar hyd y gweddill. Estynnodd Hernan y goriad o'i boced a rhoes y drws wich boenus wrth iddo ei agor.

"Mae'r fflat ar y llawr uchaf. Mae'r fan honno mewn gwell cyflwr na'r gweddill." Roedd sŵn ymddiheuriad yn ei lais.

"Fyddai hi ddim yn well i mi fynd i chwilio am westy?"

"Mae'r fflat yn llawer gwell na hyn," meddai Hernan ychydig yn rhy frysiog i'w hargyhoeddi.

"Wn i ddim ydi hwn yn syniad da."

"Tyrd i fyny i weld. Gei di benderfynu wedyn."

Roedd y sgwrs fel gêm o wyddbwyll.

"Dwi ddim isio bod yn drafferth."

"Dwyt ti ddim, tyrd i fyny."

Gyda Hernan yn sefyll y tu ôl iddi, prin oedd ei dewisiadau.

Roedd yn adeilad tywyll ac arogleuon sur, tamp yn llenwi ei ffroenau. Hen oilcloth brown oedd ar y grisiau, stripyn bach ar bob gris. Clywai sŵn graean, llwch a baw yn crensian o dan ei thraed ar bob cam. Nid oedd neb wedi cerdded y grisiau hyn ers wythnosau.

"Lle mae dy ffrind?"

"Mi fydd adra cyn bo hir."

"Ydi o'n byw yma?"

"Ydi, ydi."

Teimlai Gabriela yn fwy amheus â phob cam. Roedd styllod y landing yn gwichian eu protest wrth iddyn nhw gyrraedd gwaelod y set nesaf o risiau. Edrychai'r llawr hwnnw fymryn bach yn well, a thybiodd efallai ei bod yn bod yn rhy amheus. Roedd y drysau ar y landing wedi'u cau, a'u paent brown yn plicio'n drwm. Dringodd y grisiau'n chwim a Hernan yn cael trafferth i gadw wrth ei chwt. Roedd hi angen gweld i ble roedd hi'n mynd cyn i Hernan gyrraedd yr ystafell.

"Dau lawr arall?"

"Ie, dau arall, mae pethau'n gwella."

Nid oedd yn dweud celwydd yn hynny o beth. Roedd mwy o olwg byw bob dydd ar y lloriau uchaf, ac roedd yr arogl tamprwydd yn llawer llai amlwg. Ar y landing uchaf roedd pedwar drws, dau'n amlwg yn arwain at ystafelloedd yng nghefn y tŷ, un ystafell ganol ac un ym mlaen y tŷ.

"Y stafell flaen ydi'r stafell fyw," ebychodd Hernan wrth gyrraedd pen y grisiau olaf.

Trodd Gabriela'r dwrn metal ac agor y drws brown tlodaidd. Chwiliodd am y golau – hen switsh mawr haearn crwn. Goleuodd bwlb moel yr ystafell a gwelodd fod yno fwrdd a chlwt o liain drosto a thair cadair galed o'i gwmpas, hen soffa werdd oedd wedi gweld llawer iawn o ddyddiau gwell, a hefyd teledu bychan ac erial ar ei ben yng nghornel yr ystafell. Ond y ffenestri oedd yn meddiannu'r lle. Roedd tyrau'r eglwys gadeiriol wedi'u goleuo'n llachar gan olau melyn a hwnnw'n llenwi un mur. Gallai rhywun daeru ei bod yn bosib estyn llaw a chyffwrdd â'r tyrau.

"Tipyn o olygfa," meddai Gabriela.

"Ydi," atebodd Hernan, yntau hefyd wedi'i syfrdanu gan y cyfan. Nid oedd wedi bod yma a hithau'n tywyllu o'r blaen. "Paned?"

"Ie," atebodd hithau wrth sefyll yn y ffenestr a syllu ar yr eglwys.

Aeth Hernan at fymryn o gegin yng nghornel yr ystafell a rhoi'r tegell trydan i ferwi. Daeth o hyd i ddau fŵg digon budr yr olwg a gwnaeth baned o goffi yr un iddynt. Nid oedd Gabriela wedi symud gewyn. Syllai ar y tyrau gwych a'r awyr yn prysur dywyllu bellach. Gellid gweld ambell gwmwl a'i ymylon wedi cochi gan y machlud, ond yr eglwys oedd yn llenwi'r gorwel.

"Dyma ti."

"Diolch." Cwpanodd y mŵg yn ei dwylo a mentro llymaid bach. Codai'r stêm o'r baned ac anadlodd Gabriela yn ddwfn. "Mae o'n dda."

"Ddim yn ddrwg, wedi hen arfer gwneud coffi."

"Dyna be ddaw o henaint."

"Diolch."

"Croeso siŵr."

Safodd y ddau yn syllu allan drwy'r ffenestr. Edrychai Hernan i lawr i gyfeiriad y stryd a honno bellach yn hynod dawel. Syllai llygaid tywyll Gabriela i ryw bellter gwag. Estynnodd y ddau eu cwpanau at eu gwefusau ar yr un pryd, ac yfed. Edrychodd y naill a'r llall ar ei gilydd a chwerthin – chwerthiniad yr anghyfforddus yn hytrach na'r cysurus.

"Mae 'na stafell wely i ti yn y cefn."

"Diolch."

Roedd y cwpanau coffi wedi'u gwagio erbyn hyn.

"Mi gysga i fan hyn," meddai Hernan gan bwyntio at y soffa garpiog.

"Wyt ti'n siŵr?"

"Ydw, bydd popeth yn iawn."

"Does dim brys," meddai Gabriela gan eistedd ar y soffa. "Mae heddiw wedi bod yn dipyn o ddiwrnod."

"Wrth gwrs."

"O ble rwyt ti'n dod?"

"Fi?"

"Wela i neb arall..."

Chwarddodd Hernan.

"Wel?"

"O..." Oedodd Hernan. Nid oedd wedi paratoi ar gyfer cwestiwn fel hyn. Ni wyddai am eiliad ai gwir ai celwydd fyddai orau i'w ddweud. "Gogledd Sbaen."

"Gogledd Sbaen..." Roedd 'na goegni yn ei llais.

"Ie..."

"Rywle penodol yng ngogledd Sbaen?"

Chwarddodd Hernan wrth sylweddoli ffolineb ei ateb.

"Sori, Zubiri..."

"Zubiri? Y lle 'na ar lwybr y pererinion? Lle y gwaith magnesit mawr 'na...?"

"Ie, y Zubiri yna."

"Lle wyt ti'n byw yno?"

"Yn y canol."

"Wrth ymyl y bont?"

"Dafliad carreg o'r bont."

"Oeddet ti yno ddeng mlynedd yn ôl?"

"Oeddwn." Cododd Hernan a chau'r drws.

"Be wyt ti'n wneud?"

"Dim. Dim ond cau'r drws. Teimlo'r gwynt yn oerllyd braidd. Oeddet ti yn Zubiri ddeng mlynedd yn ôl?"

"Oeddwn. Lle'r wyt ti'n byw yno?"

"Uwchben y siop."

"Y siop?"

"Siop popeth. Emporiwm Hernan ar y sgwâr gyferbyn â'r eglwys." Pwysai Hernan yn erbyn y drws. Cydiodd yn y goriad a rhoi tro iddo.

"Be wyt ti'n wneud?"

"Cloi'r drws."

"Pam?"

"Achos bod yn rhaid."

"Rhaid be?"

"Mae'n rhaid i ni gael sgwrs…"

"Sgwrs maen nhw'n ei alw fo y dyddiau yma…"

"Be?"

"Dynion o oedran arbennig yn cael eu gyrru i orfodi eu hunain ar ferched diniwed…"

"Ti wedi camddeall."

"Ydw i?"

"Wyt… Dwi ddim wedi cloi'r drws er mwyn manteisio arnat ti."

"Nag wyt, mwn."

"Nac ydw."

Nid oedd pethau wedi dechrau'n rhy dda. Ni feddyliodd Hernan y byddai Gabriela yn ymateb fel hyn.

"A manteisio ar leian ar ben hynny."

"Lleian? Ti?"

"Ie."

"Pa leiandy, pa urdd, ers pryd?"

"Paid â mynd i fanion pitw."

"Doeddet ti ddim yn lleian ddeng mlynedd yn ôl."

"Cwestiwn 'ta ffaith?"

"Ffaith."

"Sut gwyddost ti?"

"Doeddet ti ddim yn lleian pan ddoist ti i'n siop i ddeng mlynedd yn ôl."

"Sut gwyddost ti 'mod i wedi bod yn dy siop di ddeng mlynedd yn ôl? Wyt ti'n cofio dy gwsmeriaid i gyd am ddeng mlynedd? Dyna be ydi ffyddlondeb i gwsmer."

"Dydi hynna ddim yn ddoniol."

"Oeddwn i'n trio bod yn ddoniol?"

"Wn i ddim… ond mi wn i dy fod ti wedi bod yn y siop ar y pedwerydd ar hugain o Fedi ddeng mlynedd yn ôl."

"Sut medri di fod mor bendant?"

"Achos trannoeth roedd dau blentyn bach yn farw."

Taflodd Hernan luniau o Anthea a Tomas ar y bwrdd o'i blaen. Edrychodd Gabriela'n ddifeddwl ar y lluniau. Teimlai fod hyn oll yn gynhyrfus, ac roedd sŵn y drws yn cloi wedi'i deffro drwyddi.

"A be sy 'nelo fi â'r rhain?"

"Ti laddodd nhw."

"Fi?"

"Ti, a gwneud hynny yn gwbwl ddidostur, heb hyd yn oed eu nabod."

"Sut gallwn i fod wedi eu lladd nhw felly?"

"Rwyt ti'n gwybod yn iawn be wnest ti."

Croesodd Hernan yr ystafell a mynd at y teledu bychan. Gwibiodd Gabriela am y drws.

"Waeth i ti heb, mae'r goriad gen i…"

Roedd Gabriela wedi troi dwrn y drws erbyn hyn, ond nid oedd unrhyw fudd o wneud hynny. Roedd clo cadarn arno.

"Eistedd ar y soffa 'na ac edrych ar hwn."

Erbyn hyn roedd peiriant DVD bach wedi'i dynnu o'r cwpwrdd dan y teledu, a lluniau dau blentyn bach wedi ymddangos ar y sgrin. Chwaraeai'r plant ar lawr ystafell fyw, ac roedd merch, eu mam o bosib, yn chwarae efo nhw.

"Be dwi i fod i weld?"

"Cau dy geg ac edrych."

"Olreit, os oes rhaid."

Eisteddodd Hernan ar fraich y soffa a Gabriela yn ei chornel, a syllodd y ddau ar y teledu.

"Tomas, tyrd yma'r mwnci bach, tyrd at Maria."

Chwarddodd Tomas, chwerthiniad dwfn o grombil ei stumog, a chwarddodd Maria yn ôl.

"Tyrd rŵan, hogyn da."

"Tomas hogyn da."

"Wyt siŵr."

"A dwi'n hogan dda hefyd." Llais bach taer Anthea.

"Wrth gwrs dy fod ti, tyrd yma…"

Rhedodd Anthea i freichiau Maria ac ymhen eiliad neu ddwy roedd Tomas hefyd yn neidio ar ben y ddwy i sŵn chwerthin mawr afieithus.

Roedd dagrau'n llenwi llygaid Hernan.

"Pam wyt ti wedi fy nghloi i yn y lle yma er mwyn dangos lluniau dy wyrion i mi?"

"Nid fy wyrion i ydyn nhw." Ymdrechodd Hernan i reoli ei ddicter.

"Sori, dy blant 'ta."

"Nid fy mhlant i ychwaith."

"Mae'r cyfan yn fwy o ddirgelwch efo bob gair."

"Wyt ti'n cofio dod i Zubiri ddeng mlynedd yn ôl?"

"Ydw, dwi'n cofio'r hen ffatri fudr yna."

"Wyt ti'n cofio dod i'r siop?"

"Pa siop?"

"Fy siop i yng nghanol y pentre."

"Wn i ddim, bues i mewn amryw o siopau. Pam?"

"Mi fyddet ti wedi cyfarfod Maria a finna."

"Ac…?"

"Wyt ti'n cofio sefyll wrth y silffoedd oer…?"

"Dwi ddim yn deall be wyt ti'n drio'i ddweud, reit?"

Caledodd ei llais ac aeth ei llygaid duon yn fain, fain. "Dwi wedi bod yn amyneddgar. Dwi rioed wedi dy gyfarfod di o'r blaen, ond rwyt ti wedi fy nghloi i yn y lle yma. Rwyt ti'n dangos lluniau rhyw blant nad ydw i rioed wedi'u cyfarfod, ac yn trio 'nghael i i gofio ymweld â dy siop di ddeng mlynedd yn ôl... Rŵan, ga i oriad y stafell 'ma, plis? Dwi ddim yn gwybod be ydi dy gêm di, ond mi wna i anghofio'r cyfan os wnei di agor y drws 'ma rŵan. Tyrd â'r ffwlbri yma i ben."

Pwysodd Hernan y botwm i danio'r DVD unwaith eto.

Chwarddodd Tomas dros y lle.

"Maria?" Llais Anthea.

"Ia, Anthea, be wyt ti isio?"

"Roedd Mam yn dweud nad oes gen ti gariad."

"Nag oes, ddim ar hyn o bryd."

"Pam, Maria? Mae gen i gariad."

"A phwy ydi dy gariad di, Anthea?"

"Ti, Maria."

"Dwi ddim yn meddwl mai fi ydi dy gariad di 'sti."

"A Tomas."

"Dy frawd ydi Tomas, Anthea."

"A Juan..."

"Juan, pwy ydi Juan, Anthea?"

"Hogyn bach yn yr ysgol feithrin."

"Ac ydi Juan yn ddel?"

"Ydi."

"Tyrd yma i gael cwtsh."

Taflodd Anthea ei dwy fraich fach am wddf Maria, a chofleidiodd Maria hithau.

"Ydi Hernan yn gariad i ti?"

Gwenodd Maria.

"Na... gweithio efo Hernan ydw i."

"Ond wyt ti'n lecio Hernan?"

"Ydw siŵr."

"Felly geith o fod yn gariad i ti?"

"Del iawn, ond does gan hyn ddim oll i wneud efo fi," meddai Gabriela gan dorri ar draws yr hyn oedd yn digwydd ar y teledu.

"Oes... Ti sy'n gyfrifol..."

"Cyfrifol am be?"

"Ti laddodd Anthea a Tomas."

"Lladd Anthea a Tomas...? Dwi ddim yn gwybod be sy'n bod arnat ti. Dydw i rioed wedi'u gweld nhw. Dieithryn ydw i. Rydw i'n byw yn Brasil. Dwi'n cymryd fod 'na rywbeth bach o'i le arnat ti'n gwneud hyn i gyd."

"Yn fy siop i ddeng mlynedd yn ôl..."

"O 'rargian fawr, 'dan ni 'nôl i'r gân yna eto."

"Ddeng mlynedd yn ôl yn fy siop i... prynest ti iogwrt..."

"Hen gân..."

"Cau dy geg a gwrando arna i," ffrwydrodd Hernan.

"Does dim angen bod mor ymosodol."

"Dydw i ddim..."

"Dwyt ti ddim? Callia neno'r Tad! Rwyt ti'n fy nghloi i mewn stafell ac yna yn fy mygwth i. Na, na – wrth gwrs, dwyt ti ddim yn ymosodol, ti ydi'r addfwyna'n fyw. Oes golwg lywaeth arna i?"

"Gabriela, sawl gwaith mae angen dweud wrthyt ti?"

"Sori, Miss."

"'Sori, Miss' ydi hi bob tro. Ond tydi sori ddim yn egluro pam wnest ti hyn."

Safodd yn fud, ei llygaid yn edrych yn haerllug ym myw llygaid ei hathrawes.

"Wel... pam?"

"Wn i ddim, Miss."

"Wyddost ti ddim?"

"Na, Miss."

"Rwyt ti wedi torri gwaith Mateo. Mae o wedi llafurio'n galed i'w orffen, ac mi wyddost ti pa mor galed mae o'n gorfod gweithio. Toedd o'n meddwl y byd ohono fo? A dwyt ti ddim yn gwybod pam dy fod wedi ei falu'n ddarnau o flaen ei lygaid?"

"Nac ydw, Miss."

"Fedri di ddim meddwl pam?"

"Na, Miss."

"Dim ond un peth gallwn ni ei wneud felly, Gabriela. Dos i weld yr offeiriad. Bydd yn rhaid iddo fo dy gosbi di."

"Ond Miss, dwi *yn* sori."

"Dyna wyt ti'n ddweud, Gabriela, ond mae 'na fwy i edifeirwch na geiriau."

"Mi weddïa i ar Fair i helpu fi ddeall."

"Na, digon ydi digon."

"Ond Miss..."

"Na, tyrd."

Cydiodd ei hathrawes yn dynn yn ei llaw a'i llusgo allan o'r ystafell. Roedd sodlau Miss Gonzalez yn clician ar y *lino* brown budr a sgidiau fflat, rhad Gabriela yn llusgo fel dwy sach o datw.

"Wedi cael hen ddigon ar dy antics di, wedi blino ar dy 'mi weddïa i ar Fair' di..."

Prin bod Gabriela yn deall y mwmial syrffedus a wasgai ei ffordd rhwng gwefusau'r athrawes. Roedd ei gwallt yn dechrau datod o'i gwlwm taclus ar ei gwar wrth iddi ymdrechu i lusgo Gabriela i gyfeiriad swyddfa'r offeiriad. Tuchan anadlu roedd Gabriela wrth geisio ymladd yn erbyn llif tymer ddrwg ei hathrawes. Er nad oedd gobaith ei gwrthsefyll, eto roedd 'na ryw wefr i'w chael wrth geisio. Daeth y ddwy at y drws pren tywyll, a churodd yr athrawes arno.

"Mewn."

Cydiodd yn nwrn pres budr y drws a'i droi. Agorodd hwnnw gyda gwich a llusgwyd Gabriela dros y trothwy cyn i'r drws gau'n glep y tu ôl iddynt.

"Miss Gonzalez."

"Y Tad Andreas."

"A Gabriela unwaith eto."

"Mae hi wedi malurio gwaith..."

"Gwaith Mateo?"

"... Roedd o wedi gwneud y model bach dela welsoch chi rioed. Roedd o mor falch, ac wedi dangos ymroddiad tu hwnt i'r cyffredin. Ond mae hon wedi'i dorri yn gwbwl fwriadol o flaen ei lygaid. Mae o wedi torri ei galon. Wrth ofyn iddi pam, does dim ateb ganddi. Mae fel petai'n ymhyfrydu yn ei styfnigrwydd."

"Gabriela, be sydd gynnoch chi i'w ddweud?"

Ac fe saif Gabriela yn fud yng nghanol llawr moel y swyddfa ddigymeriad.

"Wel, oes gynnoch chi rywbeth i'w ddweud?"

"Sori, Tad Andreas."

"Sori. Mae'r gair yn un da, ond ydach chi? Ydach chi wedi cydnabod pam i chi wneud hyn?"

Mae'n fud eto.

"Ydach chi'n addo peidio gwneud hyn eto?"

Mae'n edrych i fyw llygaid yr offeiriad, yna'n oedi am eiliad, fel petai ar fin dweud rhywbeth. Mae'r offeiriad yn gwingo dan ei hedrychiad treiddgar. Nid yw'n cofio teimlo mor ansicr wrth ddwrdio plentyn o'r blaen.

"Ydach chi'n addo peidio ymddwyn fel hyn eto?"

Mae diferyn bychan o chwys yn ffurfio ar ganol ei dalcen moel. Mae Gabriela yn syllu ar y diferyn. Tybed fydd o'n llifo rhwng ei ddau lygad ac ar hyd ei drwyn? Cwyd y Tad Andreas ei law esgyrnog a sychu'i dalcen. Nid yw llygaid Gabriela yn symud.

"Wel?" Mae ei lais yn codi dôn neu ddwy.

"Fel hyn mae hi o hyd, y Tad Andreas," torra'r athrawes ar y tawelwch anghyfforddus. "Mae hi'n ddigon i wylltio sant."

"Rwyt ti'n clywed be mae pobl yn ddweud amdanat ti... Bydd yn rhaid dy gosbi os na wnei di ymateb..."

Mae ei llygaid fel petaent wedi'u rhewi yn eu lle ac mae'r Tad Andreas yn teimlo'r oerni yn cripian ar hyd ei gefn. Ond gŵr prin ei amynedd ydi o, ac nid yw'n mynd i ddioddef dim mwy.

"Does dim amdani felly..." Mae'n codi, ei wisg laes ddu dreuliedig yn sgleinio yn y golau, yna'n troi at y cwpwrdd y tu ôl i'w ddesg ac yn estyn gwialen fain oddi ar ben y dodrefnyn. Mae'n ei chwifio'n gyhuddgar at Gabriela.

"Un cyfle olaf..."

Nid oes yr un ebychiad.

"Gorwedd ar draws y ddesg."

Symuda Gabriela at y ddesg a gosod ei hwyneb ar ledr oer y bwrdd.

"Miss Gonzalez, pe byddech chi cystal."

Mae Miss Gonzalez, ei thymer wedi meirioli cryn dipyn bellach, yn gyndyn o gamu'n nes ond sylweddola nad oes dewis ganddi ac mae'n codi sgert gotwm fechan Gabriela fel bod ei dillad isaf yn y golwg.

"Sefwch draw."

Ac yna mae sŵn y wialen yn chwibanu ac yn taro croen noeth pen y ddwy goes, a'r glec yn atsain drwy'r swyddfa foel. Mae Gabriela yn syllu ar feingefn Beibl y Tad Andreas ar ei ddesg o'i blaen, ond nid oes 'run deigryn yn cronni. Daw'r chwiban eto a'r ergyd yn diasbedain. Yna daw'r drydedd, yn galetach na'r ddwy gyntaf. Mae Gabriela yn codi, yn tynnu ei sgert i lawr yn daclus ac yn edrych yn llygaid y Tad Andreas unwaith eto.

"Fedra i ddychwelyd i'r dosbarth yn awr, syr?"

Yr offeiriad a'r athrawes sy'n fud bellach, ac mae'r ferch ifanc â'i gwallt a'i llygaid duon yn troi ar ei sawdl, yn agor y drws ac yn camu allan i'r coridor.

Ni chlywodd yr un o'r ddau ei hebychiad dan ei gwynt wrth iddi adael yr ystafell.

"Ddeng mlynedd yn ôl roeddet ti'n cerdded y camino, o Saint-Jean i Santo Domingo. Yn Saint-Jean fe losgodd y tŷ lle'r oeddet ti'n aros yn lludw gan ladd y perchennog. Yn Roncesvalles fe fu farw'r abad mewn amgylchiadau amheus; yn Zubiri fe gafodd Tomas ac Anthea eu gwenwyno gan iogwrt ddaeth o'n siop i; yn Pamplona fe fu darlithydd mewn pensaernïaeth farw o ganlyniad i gael rhyw fath o wenwyn; ac yn Santo Domingo fe laddwyd myfyriwr ifanc yn ei babell ar gyrion y dref. Roeddet ti yno ym mhob un o'r digwyddiadau yna, a rŵan mae'r gofalwr druan wedi cael ei ladd ar y grisiau yn y Casa ac roeddet ti'n digwydd bod yno. Onid oes 'na rywbeth yn od yn fan hyn?"

"Dim byd yn od heblaw am dy ddychymyg di."

"Ond rwyt ti'n rhan o bob un ohonyn nhw; lle bynnag rwyt ti, mae rhywun yn marw."

"Pam mae Tada wedi marw?"

"Roedd Mair a'r Arglwydd Iesu ei angen o yn y nefoedd."

"Ond roeddwn i ei angen o hefyd."

"Paid â bod yn hunanol. Estyn y blodau 'na."

Plygodd Gabriela a chydio yn y tusw o flodau oedd yn gorwedd ar farmor gwyn troed y garreg fedd. Roedd y marmor yn gynnes oherwydd gwres tanbaid canol dydd. Estynnodd y blodau i'w mam, oedd ar ei gliniau wrth ben y bedd. Roedd y potyn blodau bellach wedi'i lanhau a dŵr glân ynddo.

"Wyt ti eisiau gosod y blodau heddiw?"

"Ga i? Wir?"

"Cei siŵr, ond gwna fo'n daclus ac yn ddel."

Nid oedd Gabriela wedi cael gosod y blodau o'r blaen, dim ond eu hestyn i'w mam fesul un. Nid oedd yn rhy sicr sut i ddechrau, ac felly oedodd.

"Tyrd, heddiw nid fory."

Penderfynodd osod yr un blodyn coch yng nghanol y cyfan a rhes o flodau gwynion o'i flaen, yna deiliach yn gefndir i'r cwbwl.

Roedd popeth yn glir yn ei meddwl, ond nid oedd y blodau'n fodlon sefyll yn eu lle, beth bynnag wnâi Gabriela. Syrthiai'r cyfan ar draws ei gilydd fel criw o ddynion meddw yn y dref. Gwenodd ei mam wrth weld rhwystredigaeth yn profi amynedd ei merch naw oed.

"Damia nhw..."

"Gabriela, rhag cywilydd i ti."

"Damia bob un ohonyn nhw. Dydyn nhw ddim yn gwneud fel dwi isio..."

"Paid ti â..."

Cododd Gabriela ar ei thraed, cydio yn y llond dwrn o flodau a'u curo ar ben y garreg fedd dro ar ôl tro. Roedd hi'n crynu drwyddi a phetalau'r blodau yn chwyrlïo o'i chwmpas. Safai ei mam gan syllu'n gegrwth arni.

Nid oedd Gabriela wedi disgwyl y slaes ar draws gwaelod ei choes. Clywodd y sŵn, ac wedi hynny teimlodd ei choes yn llosgi. Nid edrychodd ar ei mam. Syllodd ar y garreg fedd a honno'n dameidiau o flodau drosti bellach, a gweld enw ei thad wedi'i gerfio yno.

"Sori, Tada," meddai, cyn troi ar ei sawdl a chychwyn am borth y fynwent. Ciciodd ryw garreg yn hynod galed wrth basio nes ei bod yn sboncio dros resi o gerrig beddi. Gwelodd chwilen ddu yn croesi un o'r beddau o'i blaen. Gosododd ei throed arni a'i gwasgu'n araf. Clywodd y gragen yn cracio a'r chwilen yn chwalu wrth iddi roi tro creulon yn ei throed ar ben y creadur.

"Ac os ydw i wedi gwneud yr holl bethau yma, be wyt ti am wneud i mi?"

"Isio deall pam ydw i."

"Be? Wyt ti'n dweud nad wyt ti isio dial, isio gwneud i mi ddioddef, a marw'n araf, araf?"

"Nac ydw, dwi wedi treulio deng mlynedd yn beio fy hun."

"Am wastraff o ddeng mlynedd."

"Sut gallwn i beidio? Roedd yr iogwrt yn fy siop i, ar fy silffoedd i, fy nghyfrifoldeb i oedd diogelwch y bwyd."

"Eu gwerthu nhw wnest ti, dyna'r cyfan."

"Eu rhoi nhw i Maria i'w rhoi i Anthea a Tomas."

"Felly sut rwyt ti ar fai?"

"Ddylwn i ddim bod wedi..."

"Mi ydan ni'n gwastraffu cymaint o amser yn difaru."

"Wyt ti'n disgwyl i mi gredu dy fod yn lleian, a thithau'n dweud peth fel yna?"

"Ydw. Mae 'na ddau beth medri di wneud efo ddoe. Credu mewn maddeuant sy'n dy ryddhau di oddi wrtho, ac wedyn mae'r difaru drosodd, neu ddeall y byd fel un lle nad ydi difaru'n bod."

"Ond..."

"Dim 'ond' amdani, rwyt ti'n llusgo dy orffennol efo ti i bob man fel rhyw faen melin tragwyddol. Mae o'n felltith arnat ti."

"Ond dyna sy'n dangos 'mod i'n malio, yn malio am bobl..."

"Mae bywyd yn rhy fyr, Hernan bach. Os mai drwy gario maen melin rwyt ti'n dangos dy fod yn caru pobl, meddwl am yr egni sydd wedi'i wastraffu. Byw i'r foment sydd isio, moment o bleser, moment o ecstasi, gwefr yr awr hon."

"A gwefr o ladd."

"Mae dy feddwl di'n chwim, Hernan, rwyt ti led dau gae o 'mlaen i."

"Mae'n amlwg bod yn rhaid bod."

"Diolch..."

"Nid clod oedd o."

"Wps."

Daeth tawelwch syfrdanol drwy'r ystafell. Roedd sŵn y ddinas tu allan fel petai wedi peidio, pob sŵn yn y tŷ wedi tawelu, a phrin y gellid clywed y ddau'n anadlu. Syllodd Gabriela ar Hernan. Roedd golwg bell iawn arno. Edrychai ar dŵr y gadeirlan wedi'i oleuo'n llachar, a'i lygaid yn cael eu denu ato. Roedd o'n ddyn dros ei hanner cant, yn drigain o bosib, ei wallt wedi britho a theneuo cryn dipyn, ond roedd 'na ryw urddas o'i gwmpas. Safai'n gefnsyth, ei dalcen wedi crychu rhywfaint a'i lygaid yn fain, fain.

"Be sy'n mynd trwy dy feddwl di?"

"Dim."

"'Dim' rhyfedd iawn sy'n crychu talcen rhywun fel yna."

"Meddwl... cofio... be sy'n dod â rhywun i fan fel hyn."

"Bydda i'n meddwl 'run peth."

"Paid â thrio hynna..."

"Trio be?"

"Cripian yn nes at rywun, fy nghael i gydymdeimlo efo ti, greadures fach..."

"Dwi ddim isio dy gydymdeimlad di, diolch yn fawr, dwi mo'i angen o."

"Dda gen i glywed, achos chei di mohono fo."

"Isio deall be wyt ti isio ydw i."

"A finnau isio deall be oeddet ti isio pan roist ti wenwyn yn yr iogwrt yna. Doeddwn i rioed wedi dy weld di o'r blaen, doedd Maria rioed wedi dy weld di, welodd Anthea a Tomas mohonot ti a welaist ti mohonyn nhw, ac eto rwyt ti'n gyfrifol am ladd y tri."

"Lladd y tri?"

"Ia, y tri."

"Maria hefyd?"

"Mi wnaeth amdani ei hun yn syth ar ôl yr angladd."

Meddiannodd tawelwch y fflat unwaith eto. Nid oedd dim i'w glywed ond mwmial traffig pell a sŵn rhyw beipen ddŵr yn clecian.

"Euogrwydd yn rhoi taw arnat ti."

"Na... ond dwi'n deall dy ddicter di. Roeddet ti'n ei charu'n—"

"Paid â meiddio trafod cariad."

Cododd Gabriela ei dwy law bob ochr i'w phen, a chledr y ddwy yn y golwg.

"Fedra i ddeall fod colli Maria wedi cael effaith arnat ti, ond mae 'na… faint ddwedaist ti… ddeng mlynedd ers hyn i gyd. Rhaid i ti symud ymlaen."

"Dyna ydw i'n wneud yn fan hyn."

"Am faint mae hyn yn mynd i barhau?"

"Hyd nes y bydda i'n deall."

"Ac wedyn?"

"Wn i ddim."

"Dwyt ti ddim yn bwriadu fy ngollwng i, wyt ti?"

"Wn i ddim."

"Wyt ti am fy rhoi i'r heddlu…? Neu fy nghosbi i…? Hyd yn oed fy lladd i…? Na, fasa ti ddim yn medru gwneud hynny."

"Paid â meiddio dweud wrtha i be fedra i ei wneud," ffrwydrodd Hernan. Roedd ei wyneb yn fflamgoch, ei lygaid yn tanio, a chydag un symudiad chwim trodd at Gabriela. Roedd ei ddwylo am ei gwddf. Taflodd ei chorff fel cerpyn ar y soffa gan ddringo drosti, a theimlai ei ddwylo'n boeth wrth iddo wasgu ei chnawd. Syllai ei llygaid duon yn syth ar ei wyneb, ond nid oedd mymryn o ofn na phanig yn agos ati; yn wir, roedd hanner gwên ar ei hwyneb. Gwylltiodd hynny fwy arno a gwasgodd ei gwddf yn dynnach. Ceisiodd wasgu'r wên o fodolaeth, a cheisio cael y llygaid duon i beidio syllu arno. Roedd wedi disgwyl iddi ymladd yn ei erbyn, ei daro, ei gicio, unrhyw beth i ddal gafael mewn bywyd, ond roedd hi'n gadael iddo wneud fel y mynnai â hi. Tawelodd y storm, ac yn araf bach llaciodd ei afael am ei gwddf a thagodd hithau wrth ymdrechu i dynnu ei hanadl eto. Cododd yntau a chamu 'nôl, gan edrych arni ac yna ar ei ddwylo.

"Sori…"

Roedd Gabriela ar ei phedwar ar lawr bellach, ei hysgyfaint yn gwichian wrth iddi ailddarganfod ei hanadl.

"Mi wyddwn i..." ymladdai am ei gwynt, "na allet... ti'n lladd... i."

"Maria sy'n fy rhwystro i." Roedd Hernan yn syllu ar dŵr yr eglwys unwaith eto. "Dwi'n ddigon dig efo ti i dy ladd di ar amrantiad. Fy nghariad i at Maria sy'n fy rhwystro i."

Cododd Gabriela ei phen a syllu arno. Roedd dychryn yn ei llygaid am y tro cyntaf ers blynyddoedd lawer. Roedd hwn yn ei deall hi mewn rhyw ffordd ryfedd iawn, ac nid teimlad da oedd hynny, ond teimlad chwithig a dieithr.

"Mi awn ni i gysgu," meddai Hernan.

Gollyngodd Gabriela ochenaid fechan. Byddai hynny'n rhoi diogelwch iddi eto.

"Ymhle'n hollol?"

"Mae'r stafell yn y cefn."

"Mae hi fel gwesty yma."

Trodd Hernan at y drws. Estynnodd y goriad a'i agor.

"Tyrd."

"Wyt ti ddim am gario fy magiau i?"

Nid ymatebodd Hernan. Camodd allan i'r landin ac agor y drws agosaf i mewn i ystafell ganol y tŷ. Roedd hi fel y fagddu yno. Taniodd y golau a thywys Gabriela i mewn i'r ystafell. Ystafell fechan iawn oedd hon, digon o le i wely sengl henffasiwn â phen a thraed haearn iddo y tu ôl i'r drws, hen gwpwrdd dillad tywyll hyll a chadair foel. Roedd y ffenestr wedi'i choedio o'r tu allan a bariau haearn wedi'u gosod o'r tu fewn.

"Dwyt ti ddim am i mi ddianc, mae'n amlwg."

Heb ddweud gair, roedd Hernan wedi gosod cyffion dur ar un o'i garddyrnau ac am ben y gwely.

"Dim dianc o gwbwl..."

Trodd Hernan i adael yr ystafell.

"Ond mi faswn i'n lecio mynd i'r tŷ bach."

Agorodd y cyffion unwaith eto a'i harwain yn fud at y drws yng nghefn y landin i'r ystafell ymolchi flêr a budr nad oedd neb wedi'i defnyddio ers blynyddoedd. Unwaith eto roedd bariau ar y ffenestr fechan.

"Rwyt ti wedi bod yn paratoi'n fanwl."

Nid oedd gair i'w gael gan Hernan. Camodd yn ôl i'r landin a chaeodd Gabriela'r drws y tu ôl iddo. Sylwodd ar gefn y drws fod y clo wedi'i dynnu oddi ar y pren paentiedig ac nad oedd dim ond paent melynllyd lle y bu, a phedwar twll sgriw. Nid oedd unrhyw awydd mynd i'r tŷ bach arni. Cydiodd yn y bariau dros y ffenestr ond roeddent wedi'u gosod yn arbennig o gadarn. Nid oedd ffordd o ddianc oddi yno. Tynnodd tsiaen y lle chwech, a hwnnw'n haeddu ei le mewn amgueddfa, a chyda chryn chwyrnu a bustachu llifodd y dŵr o'r gist uwchlaw. Ceisiodd agor y tap, ond roedd hwnnw fel petai wedi cloi ei hunan gan henaint a rhwd.

"Fedri di agor y tap i mi plis?" galwodd ar Hernan.

Daeth yntau i mewn a chyda chryn drafferth a bôn braich agorodd y tap, a llifodd dŵr budr, brown allan i'r sinc. Trodd a gadael yr ystafell.

"Diolch."

Dychwelodd Gabriela i'w hystafell, ac i'w chyffion unwaith eto.

"Wna i ddim dianc, dwi'n addo."

Caeodd Hernan y cyffion, cloi'r drws a'i gadael yn yr ystafell foel, a'r bwlb trydan unig uwch ei phen.

"Ydach chi am i mi newid y bwlb i chi?"

Gwenodd Gabriela wên fodlon cyn ymestyn heibio'r drws, ag un fraich ynghlwm wrth ben y gwely, a diffodd y golau. Roedd y gwely'n oer, ond nid oedd yn malio llawer am hynny.

Gadawodd Hernan ddrws yr ystafell fyw yn agored. Nid oedd am golli 'run smic o sŵn na'r un symudiad o eiddo Gabriela. Eisteddodd ar y soffa a theimlo tamprwydd y brethyn yn ei sugno i oerni llychlyd yr ystafell. Nid oedd dim oll yn digwydd fel roedd o wedi'i gynllunio. Roedd Gabriela i fod yn ei dagrau, wedi cyffesu popeth ac yn edifar am bopeth a wnaeth, ac yn fodlon gwneud unrhyw beth er mwyn sicrhau ei faddeuant. Nid oedd wedi disgwyl y caledwch didostur a'r oerni diedifar. Ni chaniatâi iddo'i hun orwedd ar y soffa. Teimlai fod yn rhaid iddo gadw golwg ar yr ystafell ganol. Diffoddodd llifoleuadau'r eglwys yn sydyn, ac yn annisgwyl roedd yr ystafell yn lle tywyll a'r ffenestri mawr yn dduon. Eisteddodd ar y soffa yn edrych ar dywyllwch y gwydr.

"Dos di rŵan, Maria, a joia dy hun."

"Dach chi'n siŵr?"

"Ydw siŵr."

"Dach chi'n werth y byd."

"A thithau."

Teimlodd wefusau cynnes ar ei foch a'i chorff meddal yn gwasgu'n erbyn ei fraich.

"Wela i chi yn y bore..."

Erbyn oriau mân y bore roedd cwsg wedi'i orchfygu. Eisteddai'n gefnsyth ar y soffa, ei lygaid ynghau a thaniwr y set deledu yn ei law, ond nid oedd wedi'i danio. Roedd arno ofn edrych unwaith eto ar Maria, Anthea a Tomas.

Digon tebyg fu'r ddau ddiwrnod canlynol yn y fflat. Torrai'r wawr y tu ôl i'r adeilad, yr haul llachar ben bore yn taro blaen y tŵr a hwnnw'n disgleirio fel aur yn y golau cynnar. Yn araf bach tyfai'r golau llachar gan feddiannu'r garreg wen yn llwyr. Chwaraeai Hernan y DVD o Maria, Anthea a Tomas yn aml iawn, bron bob awr, a ffurfiai dagrau yn ei lygaid bob tro, tra gwyliai Gabriela'r cyfan yn oer a dideimlad. Ceisiai ei orau i'w hannog i fod yn edifar, ond nid oedd dim yn tycio.

Roedd Hernan wedi paratoi digonedd o fwyd i'w cadw yno

am ddyddiau. Gallai felly ddal ati am amser maith. Nid oedd Gabriela ychwaith yn ymddangos ar frys i weld newid – nid oedd wedi ceisio dianc o gwbwl ac nid oedd yn crefu ar Hernan i'w gollwng yn rhydd. Bodlonai ar eistedd yn y fflat yn gwylio a gwrando ar bopeth ond heb awydd dianc. Roedd eu sgwrs yn tueddu i fod yn ailadroddus, Hernan yn mynnu ei bod yn cydnabod ei throseddau a hithau'n gwrthod cydnabod dim. Ond gêm cath a llygoden oedd y cyfan rhyngddynt, oherwydd gwyddai Hernan heb amheuaeth mai hi oedd yn ei siop ddeng mlynedd ynghynt. Gellid synhwyro fod Gabriela yn cydnabod yr hyn a wnaeth, ond ni ddangosai fymryn o edifeirwch na chywilydd. Prin iawn fu cwsg Hernan yn ystod y ddwy neu dair noson ac roedd blinder mawr yn pwyso arno. Cysgai Gabriela wedyn fel twrch bob nos, ac nid oedd na drws caeedig na chyffion na dim yn mennu arni.

"Hernan…" Torrodd Gabriela ar draws y munudau hir o dawelwch oedd yn meddiannu'r fflat o dro i dro drwy gydol y deuddydd.

"Ie…"

"Sut bu Maria farw?"

"Gwneud amdani ei hun, yn syth wedi'r angladd."

"Sut?"

"Pam dy fod ti isio gwybod? Be wyt ti'n ceisio'i wneud, ychwanegu at dy bleser sadistaidd?"

"Na, isio gwybod. Mae'n amlwg dy fod yn meddwl y byd ohoni, ac isio gwybod… Ti ddaeth o hyd iddi?"

"Ie."

"Yn lle?"

"Llwybr wrth lan yr afon, ar fainc yno, lle'r oedd hi'n arfer mynd ag Anthea a Tomas am dro."

"Be ddigwyddodd?"

Roedd 'na dynerwch yn y gofyn nad oedd Hernan wedi'i deimlo cynt.

“Roedd hi ar goll, wedi gadael y te angladd yn hynod ddisymwth, felly fe es i chwilio amdani. Mi edrychais i yn y llefydd amlwg, ond doedd dim golwg ohoni. Felly fe wnes i ddechrau cerdded ei hoff lwybrau, rhag ofn ei bod hi wedi mynd i chwilio am fymryn o heddwch. Dyma ddod rownd tro yn y llwybr, a gweld y fainc. Eisteddai yno, ac o’r cefn mi faswn yn taeru ei bod yn holliach. Roedd o’n gymaint o ryddhad. ‘Maria,’ meddwn i, gan glosio ati. Ond wnaeth hi ddim ymateb. Od ei bod yn gwisgo rhywbeth plastig atal glaw am ei phen, meddyliais, ond wrth glosio dyma sylweddoli nad dyna ydoedd. Roedd hi wedi gwisgo sach blastig am ei phen ac wedi mygu ei hun yn y fan honno wrth syllu ar yr afon. Mi wnes i dynnu’r bag a cheisio ei hadfywio, ond roedd ei gwefusau cochion yn oer, ei llygaid yn bŵl a’r cyfan a fu mor fyrlymus wedi diflannu.”

“Mi wnaeth o dy ysgwyd di.”

“At fy seiliau.”

Roedd Angelic Dumas yn flin. Fe ddylai achos Casa Penuel fod wedi’i gwblhau bellach. Hen ŵr yn syrthio ar y grisiau, un tyst i’r cyfan, digon syml. Roedd ’na gymhlethdod bod rhywun wedi’i gloi mewn ystafell, ond roedd hi wedi dod o hyd i’r Sofia honno. Asiant i werthwyr adeiladau masnachol yn y ddinas oedd hi. Roedd hi’n credu fod yr hen ŵr, Ferdinand, wedi’i chloi yn yr ystafell atig, ond nid oedd prawf na sicrwydd ganddi. Cafodd fymryn o ofn ar y pryd, ond gan fod yr hen greadur wedi marw doedd fawr o awydd arni wneud dim ymhellach. Ond yr hyn a rwystrai Angelic rhag cau’r ffeil a’i rhoi i gadw oedd y lleian. Hi, wedi’r cyfan, oedd y tyst, ond roedd hi wedi diflannu. Doedd ganddi ddim ffôn symudol, ond roedd rhyw… Hernan wedi rhoi llety iddi noson y ddamwain. Ond roedd ei ffôn ef wedi diffodd. Y bwriad oedd cymryd datganiad llawn ganddi trannoeth, ond bellach roedd tridiau ers hynny. Y pnawn hwnnw roedd Angelic wedi holi heddlu'r pentrefi ar lwybr y pererinion am un o'r ddau, ac er holi ymhob *refugio* nid oedd neb wedi gweld 'run ohonynt. Ac fel na phetai hynny'n ddigon, roedd y lleian wedi honni ei bod yn chwaer mewn lleiandy ym Mrasil, ond doedd neb wedi clywed amdani yno. Darganfu hefyd fod y cyfeiriad a roesai'r dyn Hernan yn ffug yn ogystal. Roedd y ddau berson, a'r ddau yn ddieithriaid i'w gilydd, wedi palu celwyddau wrthi, ac ni allai ddeall pam. Felly – ac roedd Angelic yn casáu hyn – wrth gychwyn am adref roedd y ffeil yn dal ar ei desg. Hi oedd brenhines cau pen y mwdwl – dyna sut y câi ei hadnabod yn y swyddfa.

Nid plismones oedd Angelic wrth natur. Baglu ei ffordd i'r swydd wnaeth hi, oherwydd mai dyna oedd gwaith ei thad. Roedd swydd ddelfrydol Angelic angen pwrs diwaelod. Bob dydd byddai'n cerdded heibio'r eglwys gadeiriol ar ei ffordd i'w gwaith, a waeth beth fyddai'r brys byddai'n cymryd cip ar y tai mawr gyferbyn. Gwesty bychan dethol, pob ystafell yn edrych dros y gadeirlan, dyna'i breuddwyd. Gallai fynd â Hannah i'r ysgol a bod yno pan ddeuai gartref wedyn.

"Nain, Nain…!"

"Be sy, Hannah bach?"

"Wedi syrthio… gen i bopo."

"Tyrd at Mam, Hannah."

"Isio Nain neud o'n well."

Roedd hi'n hanner awr wedi pump ac roedd Angelic ar ei ffordd adref. Arafodd ei cham wrth basio'r eglwys, yn ôl ei harfer, a syllu ar rai o'r tai. Ni allai ddeall sut roedd modd gadael rhai ohonynt mewn cyflwr mor ddychrynllyd. Safodd am eiliad. Roedd golau ar lawr uchaf un o'r tai gwag. Nid oedd wedi tybio fod trydan ynddyn nhw cyn heddiw. Tybed oedd rhywun wedi bod yn eu mesur? Siawns y byddai ar werth cyn bo hir. Ni feddyliodd ragor am y peth, a brysiodd tuag adref.

Dan olau'r bwlb trydan moel ym mhen uchaf yr adeilad, trodd Hernan at Gabriela.

"Pam wyt ti'n gwneud y camino?"

Oedodd Gabriela cyn ateb. Roedd Hernan wedi'i holi am y marwolaethau sawl gwaith bellach, ond doedd o rioed wedi holi hyn.

"Dwi wedi byw a bod yng nghysgod y camino."

"Be wyt ti'n feddwl?"

"Mam. Mi wnaeth Mam y daith pan oedd hi'n ifanc. Dwi ddim yn siŵr pam na sut, cofia. Roedd hi'n grefyddol iawn, ac wedi darllen am brofiadau rhyfedd pobl ar y daith, ac ambell offeiriad hefyd yn sôn am eu pererindod hwy. Roedd yn rhaid iddi grafu am arian gan ei bod yn dod o deulu tlawd. Gweithio'n ddiddiwedd i gasglu, ac yn y diwedd gwneud y daith. Roedd hi wedi cadw dyddiadur ac mi fyddai hi'n darllen hwnnw i mi bob hyn a hyn. Y bererindod oedd uchafbwynt ei bywyd, a chalon ei bywyd ysbrydol hi. Doedd 'na ddim dewis i mi wedyn, roedd yn rhaid i mi fynd ar y daith, rhaid i mi hefyd brofi yr hyn roedd hi wedi'i brofi."

"Ac wyt ti wedi profi'r un pethau?"

"Do, a naddo. Efallai fod fy mwriadau i'n wahanol."

"Be? Gweld be welodd hi, profi be brofodd hi, yn hytrach na bod yn brofiad i ti?"

"Ddim yn hollol."

"Beth felly?"

"Dilyn ôl ei thraed…"

"Ia…"

"Mae'n rhaid i ti ddeall, dyma'r unig beth dwi wedi'i gael ar hyd y blynyddoedd: 'Ar y camino roeddwn i'n gwneud hyn…' neu 'Roedd hwn a hwn fel arall…'" Oedodd. Ni wyddai a allai fentro.

"Ac…?"

"Roedd rhywun yn cael mwy na digon."

"Medra i ddeall hynny."

"Roedd yn rhaid—"

Canodd clychau'r eglwys gadeiriol gan rwystro pob sgwrs. Diolchodd Gabriela amdanynt; roedd ganddi ychydig eiliadau i benderfynu a allai hi rannu'r cyfan. Oedd y siopwr yma'n rhywun allai ei deall hi?

"Mae'r clychau 'na'n fyddarol."

"Ydyn... Roedd yn rhaid, medda ti..."

"Rhaid?"

"Am dy fod ti'n cael mwy na digon, roedd yn rhaid...?"

"Rhaid... Roedd yn rhaid datgymalu'r cyfan... tynnu pob profiad yn ddarnau... dinistrio ei thaith."

Syllodd Hernan arni.

"Dinistrio ei thaith hi?"

"Ie, ei thorri'n deilchion."

"Ond roedd hynny'n golygu..."

"Y byddai rhai pobl yn cael eu brifo."

"Eu brifo?"

"Pobl oedd yn digwydd bod ar y ffordd."

"Ond sut roeddet ti'n medru...?"

"Nid arna i oedd y bai – canlyniad pererindod fy mam ydoedd."

"Ond nid Maria, nid Anthea a Tomas."

Roedd rhyw dynerwch dieithr yn llais Hernan bellach.

"Roedd Zubiri yn rhyfedd yn ystod pererindod Mam. Heblaw am dy... dad, dwi'n tybio, fyddai hi ddim wedi cael lle i aros. Fe gyrhaeddodd y lle'n hwyr a dy dad ar fin cau'r siop. Ond dyma fo'n ei chroesawu â breichiau agored, a rhoi bwyd iddi. Yna ei thywys at y *refugio* a fwy neu lai eu gorfodi nhw i roi lle iddi aros. Zubiri a dy dad oedd un o'r enghreifftiau mawr o haelioni a thosturi pobl ar y ffordd. Câi hynny ei edliw i mi am bob gweithred hunanol neu ddiofalwch. Roedd yn rhaid erfyn am drugaredd Mair ganwaith, filgwaith, am i mi fethu â dangos gofal am rywun."

"Ac am hynny roedd yn rhaid…?"

"Oedd."

"Ond wyt ti ddim yn teimlo'n euog?"

"Euog o be?"

"Teimlo dy fod yn difaru bod rhywun diniwed wedi dioddef."

"Wyt ti'n teimlo'n euog am fy nal i'n gaeth fan hyn?"

"Dydi hyn ddim 'run fath."

"Nac ydi?"

"Nac ydi. Dwyt ti ddim yn ddiniwed." Nid oedd geiriau Hernan fel petaent yn portreadu yr hyn roedd o'n ei deimlo ar y pryd. "Nid nad oes gen i gydymdeimlad efo…"

"Pwy sy'n ddiniwed?"

"Anthea, Tomas a Maria, y pensaer 'na yn Pamplona, yr hen wraig yn Saint-Jean, yr abad yn Roncesvalles…"

"A sut gwyddost ti eu bod nhw'n ddiniwed?"

"Plant oedd Anthea a Tomas."

"Digwydd bod yn y lle anghywir ar yr adeg anghywir."

"Ond ti roddodd y gwenwyn."

Trodd Gabriela a syllu'n ddwfn i lygaid Hernan. Roedd cwestiwn yn yr edrychiad, neu felly y tybiai Hernan.

"Mewn rhyfel, ydi milwr yn cael ei gyhuddo o lofruddiaeth?"

Disgynnodd ysgwyddau Hernan. Tybiodd am eiliad ei fod wedi'i chyrraedd, ond bellach roedd dagrau'n crynhoi yn ei lygaid. Synhwyrodd Gabriela nad oedd mwy o eiriau i'w dweud yr eiliad honno. Llenwodd tawelwch y lle unwaith yn rhagor, ac yn y pellter roedd sŵn y traffig fel gwenyn prysur. Rhoddai pibellau'r tŷ ambell glec, ac roedd llygoden yn siffrwd ei ffordd drwy hen gwpwrdd yn rhywle. Clywid clec caead rhyw fin sbwriel yng nghefn y tŷ, a byddai clust braff wedi clywed nodau pell côr y gadeirlan yn ymarfer yr Agnus Dei ar gyfer yr offeren.

"Be wyt ti am wneud efo fi?"
"Wn i ddim."
"Rhoi fi i'r heddlu?"
"Efallai."
"A be wnân nhw efo ti wedyn?"
"Be wyt ti'n feddwl?"
"Dyn canol oed, sengl yn cipio lleian ddiniwed a'i dal yn gaeth."
"Wnes i ddim byd i ti."
"Naddo? Ers pryd mae dal rhywun yn gaeth yn ddim byd, Hernan?"
"Mi fyddan nhw'n deall."
"Byddan siŵr, deall fod rhywun yn mynnu dial a rhoi ei gosb bersonol cyn i'r gyfraith gael ei thro. Byddan nhw'n deall yr ysfa i ddial am farwolaeth dy gariad, ysfa sydd wedi para am ddeng mlynedd o wylio gofalus i weld a fyddai rhyw ferch o Frasil yn dychwelyd."

Roedd teimladau Hernan yn un gymysgfa ddyrys, ac roedd tro ym mhopeth a ddywedai ac a wnâi Gabriela. Nid oedd yn gallu deall ei deimladau ei hun bellach heb sôn am ddeall teimladau dyrys y ferch â'r llygaid duon.

Roedd Angelic yn hwyr. Nid oedd yn hoff iawn o'r bore bach, felly roedd yn rhaid brysio i gyfeiriad y gwaith, ond roedd y golau'n dal ynghynn yn y tŷ gyferbyn â'r eglwys. Gobeithiai nad oedd sgwat yn ffurfio yno, gan fod amryw o dai mawr gwag o'r fath wedi'u meddiannu'n ddiweddar. Gan ei bod yn pasio aeth at y drws a'i guro'n go galed.

Cododd y curo fraw ar Hernan. Roedd o, ar ôl noson arall ddi-gwsg, yn golchi llestri brecwast a Gabriela yn eu sychu, yn reddfol bron. Estynnodd ei law a'i rhoi dros geg y ferch. Ceisiodd hithau gilio oddi wrth ei weithred, ond roedd wedi rhoi ei fraich arall amdani. Rhewodd y ddau, gan aros am yr ail guriad.

Sŵn curo ar y drws eto.

Curai gordd ym mhen Hernan. Roedd Gabriela yn teimlo ei hun yn glafoerio dan y llaw gynnes oedd wedi'i gwasgu'n dynn dros ei cheg.

Nid oedd smic i'w glywed. Ceisiodd Angelic agor y drws, ond roedd ar glo. Ond eto, sylwodd fod rhywun wedi'i agor yn ddiweddar, gan y gallai weld fod y llwch a'r gwe pry cop wedi'u symud. Rhywun yn mesur ac wedi anghofio diffodd y golau, meddyliodd. Trodd ar ei sawdl a brysio am y swyddfa.

"Doedd dim angen hynna."

"Mae'n ddrwg gen i. Ond doeddwn i ddim yn disgwyl i neb guro. Does neb wedi byw yma ers blynyddoedd."

"Nag oes, mae'n amlwg."

Bu'r ddau'n fud wrth orffen golchi'r llestri a'u cadw. Gollyngodd Gabriela ei hun yn ddioglyd i ganol y soffa gydag ochenaid hir. Cododd nofel ysgafn oddi ar y bwrdd coffi yng nghanol y llawr a dechrau bodio drwy honno. Roedd golwg boenus ar wyneb Hernan, ac eisteddodd wrth y bwrdd a rhoi pwysau ei ben ar ei ddwy law, â'i ddau benelin ar ymyl y bwrdd. Roedd radio bach ar y bwrdd, felly taniodd ef a'i osod ar ei hoff orsaf, gorsaf gerddoriaeth glasurol. Gwenodd wên wantan wrth glywed nodau cyfarwydd gwaith Bach yn codi o'r radio. Eisteddodd yn ôl fymryn, plethu ei freichiau a gwrando'n astud. Bore tawel felly fu hi yn yr ystafell ddiolwg. Bob awr, ar yr awr, byddai Hernan yn diffodd y radio ac yn ddefodol yn tanio'r teledu a'r peiriant DVD a gorfodi Gabriela i edrych ar Maria a'r plant yn chwarae. Am ddeuddeg o'r gloch, cododd Hernan.

"Does dim isio i ti ei ddangos eto."

"Oes, os nad wyt ti'n edifar..."

"Rwyt ti'n dy dormentio dy hun."

"Ac rwyt ti angen gwerthfawrogi be rwyt ti wedi'i ddinistrio."

"Hernan, plis, er dy fwyn dy hunan, paid… Wyt ti ddim yn deall? Mae gweld y dagrau'n cronni yn dy lygaid di bob tro yn…"

Oedodd Gabriela ac edrych i lygaid Hernan. Roedd ei amrannau'n drymion o dan straen y nosweithiau diwethaf. Crychodd yntau ei aeliau gan ddisgwyl gweddill ei geiriau.

"… Mae o'n boen i mi." Llefarodd y geiriau'n araf, bwyllog; bron nad oedd crac yn ei llais.

"Dwyt ti ddim yn deall… Nid amdanaf i mae hyn i gyd."

"Am bwy 'ta, Hernan?"

"Am Maria a'r plantos, siŵr iawn. Dwi ddim isio dy drugaredd di, dwi isio dy edifeirwch di am eu lladd nhw."

"Arglwydd, trugarha!"

"Crist, trugarha!"

"Arglwydd, trugarha!"

"Dweud sori…! Dweud sori!"

"Ond faint elwach fyddi di o 'nghael i i ddweud sori?"

"Cyfiawnder iddyn nhw."

"Cyfiawnder?"

Teimlodd Hernan rym ei ddadl yn toddi fel hufen iâ plentyn bach yng nghanol haul tanbaid.

"Y gwir amdani, Hernan, ydi dy fod ti wedi cynllunio hyn i gyd yn ofalus iawn, ond dwyt ti rioed wedi cyrraedd diwedd y daith yn dy feddwl dy hun, yn nag wyt…? Ac mi fedra i ddeall pam. Doeddet ti ddim isio i hyn ddigwydd go iawn. Defod oedd hi, chwilio am y ferch o Brasil, trefnu lle i aros, a disgwyl, wythnos ar ôl wythnos. Ffonio Santo Domingo, ymweld â'r fan hyn, gosod pethau yn eu lle, wythnos ar ôl wythnos gwneud rhywbeth i Maria. Cadw Maria'n fyw. Dwi'n deall hynny, mi wnes innau rywbeth tebyg pan gollais i fy nhad. Roeddwn i'n ei garu o, yn ei garu o'n angerddol… ond…"

Roedd tynerwch yn llais Gabriela am y tro cyntaf ym meddwl Hernan. Nid oedd hon heb obaith fel y tybiai cyn hyn.

"Mae 'nghydymdeimlad i efo ti, Hernan, dy ddagrau di, achos y rheini sy'n real i mi…"

"Ond ti sy'n gyfrifol amdanyn nhw…"

"Mae rhywun yn gorfod gwneud ei ddewisiadau."

"Dewis lladd."

"Dewis byw neu ddewis marw. Rwyt ti wedi dewis marw, Hernan. Hynny sy'n fy mrifo i. Dewis aros yn llonydd yn y ddoe delfrydol hwnnw pan oeddet ti a Maria yn gariadon."

"Doedden ni ddim yn gariadon."

"Hernan, paid â gwadu dy deimladau. Mae hi'n amlwg dy fod ti dros dy ben a dy glustiau. Fasan ni ddim fan hyn oni bai am hynny."

Roedd Hernan wedi'i ddal. Nid oedd am ddweud hynny wrth Gabriela, ond gwyddai fod ei wadu'n ganwaith gwaeth.

"A dwi'n deall ei bod hi'n anodd cydnabod hynny i rywun dieithr fel fi." Achubodd Gabriela ef rhag ateb, gan godi a chamu ato. "Mae'r dagrau 'ma'n ddeng mlwydd oed, a does neb wedi'u sychu nhw…" Estynnodd hances a chyda thynerwch mawr dechreuodd sychu dagrau Hernan. Eisteddodd y ddau ar y soffa. Taniodd Hernan y DVD unwaith yn rhagor. Syllodd ar y delweddau cyfarwydd ar y sgrin, a llifodd y dagrau. Anwesodd Gabriela ei war ag un llaw, a sychu ei ddagrau â'r llall.

"Wyt ti'n fy ngharu i, Mama?"

"Pa fath o gwestiwn ydi hwnna?"

Ni allai Hernan reoli ei ddagrau. Roedd y deng mlynedd diwethaf wedi bod yn hir. Teimlai cefn ei wddf yn sych a chaled, gallai deimlo'i galon yn curo fel gordd, a deuai ton ar ôl ton o ddagrau drosto, nes ei fod yn igian yn uchel. Ond drwy'r cyfan teimlai law gynnes, dyner ar ei war tra – trwy'r dagrau – gwyliai'r lluniau o Maria yn llawn bywyd. Cododd ei law at ei foch, y foch honno y cusanodd Maria ef arni, a gallai flasu'r dagrau hallt yng nghornel ei geg.

Canodd cloch yr eglwys. Roedd hi'n un o'r gloch. Roedd awr wedi mynd heibio ac yntau bellach yn gorwedd ar y soffa a'i ben yng nghôl Gabriela.

"Wyt ti'n teimlo'n well rŵan?"

"Ydw," meddai'n llywaeth.

"Ceisia gysgu rhywfaint. Dwyt ti ddim wedi cysgu llawer, wyt ti?"

"Does fiw i mi..."

"Bydd popeth yn iawn, does dim isio i ti boeni, rydw i yma i ti..."

Roedd ei geiriau'n feddal ac yn dyner, a'i lygaid yn drwm. Roedd ei holl esgyrn yn ochneidio eisiau cwsg. Ond doedd fiw iddo gau ei lygaid... oni bai bod Gabriela bellach... Roedd hi'n dyner ac yn annwyl... Rhaid bod... Llithrodd ei llaw dros ei lygaid... Fe ddylai fod yn ofalus... ond roedd cwsg... A chysgodd Hernan ar y soffa y prynhawn hwnnw, cysgodd yn drwm, drwm. Cysgodd yn esmwythach nag y gwnaethai ers deng mlynedd.

Bu Gabriela yn hollol lonydd am amser maith. Syllodd ar dyrau gwych yr eglwys, sylwodd ar oleuni'r haul yn araf deithio hyd-ddynt gan greu cysgodion difyr lle bu goleuni cynt. Roedd Hernan fel plentyn yn ei chôl, ei anadl yn drwm a chyson, ei gorff yn llonydd. Anwesodd ei wallt, a theimlo ei wythiennau'n curo ar ymyl ei dalcen. Yna, yn hynod araf a phwyllog, cododd ei ben yn ei dwylo ac, yn ofalus iawn, llithro ei chorff oddi ar y soffa gan adael clustog fechan dan ei ben. Wrth iddi hanner codi anesmwythodd Hernan fymryn a rhewodd Gabriela. Arhosodd am eiliad, ei thraed wedi ymestyn hanner cam, ei llaw ar fraich y soffa, a theimlai ei braich yn dechrau crynu wrth iddi ddal ei phwysau. Ni allai oedi'n hirach, a llithrodd o'i sedd. Tynnodd Hernan y glustog yn nes at ei ên a gwenu fymryn yn ei gwsg. Cododd Gabriela ar ei thraed uwch ei ben. Syllodd arno. Roedd ei ffyddlondeb i Maria yn drawiadol – roedd o'n ei charu mae'n amlwg. Oedodd yn hir.

"Brofais i rioed gymaint o gariad ag a brofais i ar y daith, Gabriela. Lle bynnag yr awn, roedd rhywun yn cynnig cariad a dymuniadau da… Choeliet ti ddim…"

Gwyddai Gabriela yn union beth oedd angen ei wneud. Roedd hi angen y goriadau i ddechrau. Estynnodd ei llaw yn araf, araf i boced siaced Hernan. Gwasgodd y cyfan ohonynt i'w dwrn fel nad oedd yr un smic o sŵn i'w glywed. Mater bychan oedd darganfod goriad y drws, ond nid hwnnw oedd yn mynd â'i diddordeb. Roedd hi angen ei sach gerdded a'i bag ymolchi. Roedd y bag wedi'i gloi'n ofalus yn un o gypyrddau'r gegin, ond buan iawn y darganfu oriad y clo lwmp. Unwaith yn rhagor bu'n hynod ofalus na wnâi smic o sŵn. Estynnodd becyn o'i bag ymolchi. Edrychodd yn fanwl arno ac ar y gair 'Roche' yn glir ar un ochr. Rhwygodd ddwy dabled wen yn dawel, dawel o'r casyn meddal. Cymerodd ddwy lwy a'u gwasgu'n gelfydd nes bod y tabledi'n bowdwr mân, yna arllwys y powdwr gwyn i amlen fechan cyn ei llithro i'w phoced. Doedd fiw i Hernan amau dim. Rhoddodd bopeth yn ôl yn ei bag, a'i osod yn y cwpwrdd, cyn ei gloi. Yna dychwelodd y goriadau i'w boced. Roedd gwasgu ei ffordd 'nôl ar y soffa'n dasg anos. Anadlai'n drwm. Teimlai Gabriela fod pob symudiad o'i heiddo yn glogyrnaidd a swnllyd. Oedodd am eiliad gan ddisgwyl i Hernan droi mymryn yn ei gwsg, ac wrth iddo wneud hynny, gan ddefnyddio'r glustog yn gelfydd, llwyddodd Gabriela rywfodd i sleifio'i chlun dan ei ben. Roedd y dasg wedi'i chyflawni. Ofnai fod curiad cyflym ei chalon yn mynd i'w ddeffro, gan fod ei chorff yn gynnwrf trwyddo, ond roedd cwsg wedi gafael yn dynn yn Hernan. Oedodd Gabriela yn hir, am awr neu ddwy, cyn symud mymryn, symud ei chlun, goglais mymryn ar ei glust, ac yn araf bach ei ddeffro.

"Be sy'n digwydd?" Cododd Hernan ei ben. "Be dwi…?" ac ar amrantiad eisteddodd i fyny.

"Paid â phoeni, roeddet ti wedi blino, a'r atgofion yn ormod…"

"Ond…"

"Dwi'n deall, Hernan. Paid â phoeni, dwi ddim wedi symud o'r fan yma, mi fedri di fy nhrystio i. Mi allwn fod wedi gwneud unrhyw beth i ti, ond wnes i ddim, ti'n saff."

"Ond…"

"Pam na fyddwn i wedi dianc?" Cododd ei hysgwyddau ac agor ei dwylo. "Fyddai hynny ddim wedi ateb dim."

Syllodd Hernan arni. Roedd wedi gobeithio am ymateb fel hyn, ond fel y llusgodd y dyddiau heibio roedd y gobaith wedi pylu a diflannu, ac roedd gwrando arni'n awr yn ei fywiogi drwyddo. Llyfodd ei wefusau. Roedd syched arno.

"Dŵr? Mi fydda i'n sychedig ar ôl cysgu fel yna bob amser," meddai Gabriela gan godi a mynd at y sinc.

"Ond…"

"Dŵr ydi o, Hernan, yn syth o'r tap. Fedra i ddim gwneud dim iddo fo."

"O'r gorau, diolch," meddai, ond cadwodd ei lygaid arni yr un fath.

"Gwell gadael iddo redeg ychydig, mae'r peipiau 'ma'n hen a rhydlyd," meddai gan ddal ei llaw dan y tap. "Roeddwn i wedi meddwl y byddet wedi deffro ar yr awr, roedd clychau'r eglwys yn trybowndian canu." Nodiodd ei phen i gyfeiriad y tyrau. Trodd Hernan yn reddfol i edrych arnynt.

"Chlywais i ddim byd."

"Chlywais ti mo 'nghyffes i chwaith felly."

"Cyffes?" Syllodd Hernan arni.

"Wedi gwrando arnat ti, roeddwn i angen dweud…"

"Dweud?"

"Dweud fy hanes, hanes pererindod fy mam a 'mhererindod i…"

"Pererindod wyt ti'n ei galw hi?"

"Ie, taith yn fy meddwl ac yn fy enaid. Dŵr?"

Estynnodd wydryn o ddŵr clir, oer i Hernan.

"Diolch. Dwi'n sychedig ofnadwy."

"Y dagra, decini."

"Ie… Mae'n ddrwg gen i."

"Paid poeni, dwi'n deall."

Llowciodd y gwydraid ar ei union.

"Cyffesu beth fuost ti felly?"

"Sibrwd gwirioneddau yn dy glust, gwirioneddau sydd wedi 'mhoeni i ar hyd y blynyddoedd."

"Mi fydd yn llesol i ti yn y diwedd."

"Wyt ti'n meddwl?"

"Ydw siŵr, rydw i wedi cadw pethau am flynyddoedd, ac mae hi wedi bod yn rhyddhad eu gollwng. Mae o fel dechrau newydd."

"Rydw i angen amser i ddygymod… Paid â gwthio gormod ar hyn o bryd."

"Bob yn damaid, Gabriela, bob yn damaid."

Curai calon Gabriela. Roedd yn chwilio am arwyddion cyntaf y cyffur yn cydio, ond roedd popeth yn ymddangos mor araf. Efallai fod ei gorff yn rhy gryf, efallai nad oedd digon yn y dŵr… Roedd ei chwilfrydedd bron yn drech na hi. Ond gan bwyll bach roedd Hernan yn rhwbio'i lygaid, a'i leferydd yn dechrau troi'n aneglur…

"Be sy'n digwydd?"

"Be wyt ti'n feddwl 'be sy'n digwydd'?"

"Mae 'na rywbeth rhyfedd yn digwydd i'r stafell 'ma."

"Na, ddim hyd y gwn i."

Ceisiodd godi ar ei draed, ond syrthiodd yn ôl ar y soffa.

"Be wyt ti wedi'i wneud i mi?"

"Dim oll, Hernan, dim o gwbwl..."

"Ond dwi... dwi... Fedra i ddim... ddim..."

"Symud? Na fedri, biti garw yntê. Ac yn teimlo'n gysglyd, ac eto'n effro 'run pryd, rhyfedd yntê..."

Doedd geiriau Gabriela yn ddim ond sŵn iddo. Ni allai ddirnad beth oedd yn digwydd. Prin y gallai siarad, ond yn waeth na hynny ni allai symud ei gorff – roedd fel petai wedi'i glymu er nad oedd un mymryn o raff yn agos ato. Daeth Gabriela â'i hwyneb yn agos at ei wyneb ef, a syllu i mewn i'w lygaid pŵl. Gallai deimlo ei llaw yn chwilio poced ei siaced. Roedd hi'n ymbalfalu am ei ffôn. Estynnodd ef a'i chwifio o flaen ei wyneb gan ddweud rhywbeth am Maria.

"Ma... Ma... rrr..." meddai ond heb lwyddo i hyd yn oed yngan ei henw.

Cydiodd Gabriela yn ei law chwith a gosod y ffôn ar gledr ei law, yna cymerodd ei law dde a chan ddal ei fys yn gadarn sillafodd eiriau neges destun ar y ffôn:

Methu byw heb Maria, mynd ati hi.

Syllodd Hernan ar hyn oll yn digwydd heb allu gweld y geiriau na deall dim oedd yn digwydd iddo.

"Doedd hyn ddim yn rhan o'r cynllun, i ti gael deall, Hernan. Roeddwn i wedi gorffen efo Zubiri ddeng mlynedd yn ôl ac ar ben hynny rwyt ti wedi drysu'r cynllun yn llwyr. Roeddwn i wedi bwriadu cyrraedd León y tro hwn, a rŵan lle'r ydw i? Blydi Burgos. Wn i ddim pam 'mod i'n dweud hyn i gyd wrthot ti, achos dwyt ti'n deall dim. Ond gobeithio dy fod ti'n gwerthfawrogi'r trawiad hynod bersonol dwi wedi trafferthu ei roi i dy derfynu di. Na, paid â phoeni, nid gwenwyn fydd y diwedd, dim ond peth dros dro ydi'r parlys 'ma. Mi gei di fynd at Maria yn yr un ffordd ag y dewisodd hi roi terfyn ar bethau. Ciwt, wyt ti ddim yn meddwl? Ac fe gei di fynd efo deigryn yn dy lygad wrth i ti edrych ar Maria a'r plantos 'ma eto fyth, ia? Fasat ti'n lecio hynny, yn basat? Dyma ni," meddai gan estyn taniwr y DVD a'i osod yn ei law rydd. "Pwysa di'r botwm rŵan… O na, fedri di ddim… Rhaid i mi dy helpu di eto." Defnyddiodd fys Hernan i bwyso'r botwm a gwelwyd Maria a'r plant yn chwarae eto, er na welai Hernan mo hynny. "Ond mae 'na un peth arall sydd ei angen, wrth gwrs."

Estynnodd Gabriela fag plastig clir o'i phoced.

"Ydi o'n ffitio d'wad?" meddai gan dynnu'r bag plastig dros ei ben. "Fel maneg, pwy fasa'n meddwl?"

Teimlodd Hernan y plastig cynnes yn gwasgu ar ei wyneb, ond ni allai ddeall y teimlad ar ei groen. Ni ddeallai fod ei anadl yn byrhau. Roedd yn teimlo'n fwy a mwy cysglyd, a'i anadlu'n fwyfwy anodd. Ni allai ymladd dim, a llithrodd ei fywyd o'i afael. Syrthiodd y ffôn o'i law ac, yn fuan wedyn, taniwr y DVD.

"Tyrd yma i gael cwtsh."

Taflodd Anthea ei dwy fraich fach am wddf Maria, a chofleidiodd Maria hithau.

"Ydi Hernan yn gariad i ti?"

Gwenodd Maria.

"Na… gweithio efo Hernan ydw i."

"Ond wyt ti'n lecio Hernan?"

"Ydw siŵr."

"Felly geith o fod yn gariad i ti?"

Golchodd Gabriela'r gwydr a'i roi i gadw. Estynnodd ei sach o'r cwpwrdd yn y gegin, mynd i'r ystafell wely a chymryd y cyffion oddi ar y gwely. Sgubodd olwg sydyn dros gynnwys y fflat i sicrhau fod popeth o'i heiddo ganddi. Siawns na fyddent yn trafferthu chwilio'r lle'n fanwl nac yn archwilio'i gorff am gyffuriau. Roedd yn amlwg ei fod wedi torri'i galon.

Syllodd ar Hernan, oedd yn dal i eistedd ar y soffa. Gwenodd, cyn troi ei chefn a chamu allan drwy'r drws. Caeodd y drws gwichlyd o'i hôl, a chydag egni'n trybowndian drwy ei gwythiennau gwibiodd i lawr y grisiau llychlyd ddau ris ar y tro. Agorodd ddrws ffrynt y tŷ a llifodd golau haul llachar i mewn i'r cyntedd tywyll. Camodd allan i'r heulwen honno, rhoi clep ar y drws a chroesi'r sgwâr i gyfeiriad yr eglwys.

"Cofia ddiolch i Fair am dy warchod di."

"Wrth gwrs, Mama, wrth gwrs, fe fydda i'n diolch i Fair."

Am restr gyflawn o lyfrau'r Lolfa, mynnwch
gopi am ddim o'n catalog
neu hwyliwch i mewn i'n gwefan

www.ylolfa.com

lle gallwch archebu llyfrau ar-lein.

TALYBONT CEREDIGION CYMRU SY24 5HE
ebost ylolfa@ylolfa.com
gwefan www.ylolfa.com
ffôn 01970 832 304
ffacs 832 782